LEKTÜRESCHLÜSSEL
FÜR SCHÜLERINNEN UND SCHÜLER

Friedrich Dürrenmatt
Der Richter und sein Henker

Von Theodor Pelster

Dieser Lektüreschlüssel bezieht sich auf folgende Textausgabe: Friedrich Dürrenmatt: *Der Richter und sein Henker*. Hamburg: Rowohlt, 1955 [u. ö.]. (Rowohlt Taschenbuch. 10150.)

RECLAMS UNIVERSAL-BIBLIOTHEK Nr. 15374

Gesamtherstellung: Reclam, Ditzingen
Printed in Germany 2017

ISBN 978-3-15-015374-1

Auch als E-Book erhältlich

www.reclam.de

Inhalt

1. Erstinformation zum Werk

Als der Schweizer Autor Friedrich Dürrenmatt, der heute als einer der bedeutendsten Dramatiker des 20. Jahrhunderts gilt, im Spätsommer 1949 in finanziellen Schwierigkeiten war, bot er mehreren Zeitungen an, gegen ein Voraushonorar einen Fortsetzungsroman zu schreiben. Ein Jahr später erhielt er die gewünschte Gelegenheit in der Wochenzeitschrift *Der Schweizer Beobachter*: Vom 15. Dezember 1950 bis zum 31. März 1951 erschien der Kriminalroman *Der Richter und sein Henker* in acht Folgen dieser Zeitschrift.[1]

Erstveröffentlichung

Nach den Maßstäben der traditionellen Literaturkritik gelten Kriminalromane ebenso wie Liebesromane als trivial und zweitrangig. Um der Verdienstmöglichkeit willen zu schreiben und eine Veröffentlichung als »Brotarbeit«[2] zu betreiben sei des wahren Dichters unwürdig, behaupten auch gegenwärtig noch viele Literaturkritiker. Dürrenmatt setzte sich über solche Vorurteile hinweg und war in doppelter Weise erfolgreich: Die Buchausgabe des Romans wurde ein Welterfolg. Bis zum Ende des Jahrhunderts wurden – einschließlich der Übersetzungen und der Taschenbuchausgaben – mehrere Millionen Exemplare verkauft. Außerdem wird der Roman längst als Meisterwerk seiner Art anerkannt.

Kritik und Erfolg

In seinem Aufsatz *Über die Popularität des Kriminalromans* stellt Bertolt Brecht mit einem gewissen Neid fest: »Ohne Zweifel trägt der Kriminalroman alle Merkmale eines blühenden Literaturzweiges zur Schau.«[3] Die Romane von Arthur Conan Doyle, Edgar Wallace, Agatha Christie, Raymond Chandler und Georges Simenon hatten in der ersten Hälfte des 20. Jahrhunderts ein Millionenpublikum; und »Dürrenmatts Bibliothek war mit den Klassikern der Kriminalliteratur gut ausgestattet«[4]. Vor allem der Kriminalschriftsteller Friedrich Glauser, der zwischen 1936 und 1941 fünf Romane veröffentlicht hatte, in denen ein Wachtmeister Studer auf eigenwillige Schweizer Art für Recht und Ordnung sorgt, hatten Dürrenmatts Interesse geweckt.

Vorlagen

Dürrenmatt, der 1921 geborene Autor, der gerade sein zweites Theaterstück auf die Bühne gebracht hatte und sich als freier Schriftsteller behaupten wollte, kannte sich in der Geschichte, der Theorie und vor allem in der Praxis des Kriminalromans aus, als er seinen ersten Roman konzipierte. »In allen Kriminalerzählungen«, so wusste er, sind »vier thematische Mengen [...] zu identifizieren:

Elemente des Kriminalromans

1. Innere und äußere Vorgeschichte eines Falls (in der Regel ein Verbrechen oder sichtbarer Anschein desselben),
2. Der Fall als solcher (= ein Verbrechen oder der Anschein eines solchen),
3. Detektion und Lösung (auch Irrtum);
4. Gericht und ›Sühnung‹ (z. B. auch Justizirrtum etc.).«[5]

Zentrales Ereignis dieser Art von Erzählungen und Romanen ist immer ein Verbrechen, lateinisch *crimen*. Dieses lateinische Wort gibt bis heute den Oberbegriff ab für unterschiedliche Texte, in denen Verbrechen die zentrale Aufmerksamkeit beanspruchen. Unter inhaltlichen Gesichtspunkten unterscheidet man hauptsächlich den Kriminalroman vom Detektivroman, der seine Kennzeichnung vom lateinischen Wort *detegere* ›aufdecken, enthüllen, offenbaren‹ herleitet: »Der Kriminalroman er-

Kriminalroman und Detektivroman

zählt die Geschichte eines Verbrechens unter besonderer Berücksichtigung der psychologischen (auch soziologischen) Disposition des Täters, seiner Tatmotive, des Tathergangs und der Tatfolgen. Der Detektivroman gilt als Sonderform des Kriminalromans, die die Suche nach dem Täter und die Aufklärung des Tathergangs zum Inhalt hat und damit die Intention verfolgt, den Leser durch Teilhabe am Rätselraten in Spannung zu versetzen.«[6]
Das unterschiedliche inhaltliche Interesse hat Folgen für die Formung: Der Kriminalroman erzählt meist in chronologischer Reihenfolge, vorwärts gerichtet; der Detektivroman setzt beim eingetretenen Fall ein, sucht, rückwärts gerichtet, die Voraussetzungen zu erkennen und, vorwärts gerichtet, den Täter dem Gericht zu überantworten. Vereinfacht gesagt: »Der Kriminalroman erzählt die Geschichte eines Verbrechens, der Detektivroman die Geschichte der Aufklärung eines Verbrechens.«[7] Danach ist zu folgern: »Man kann jeden Kriminalroman auf den Kopf stellen und ihn als Detektivroman erzählen, und man kann jeden Detektivroman auf die Füße stellen und damit den ihm zugrundeliegenden Kriminalroman herstellen.«[8]

Das Verbrechen, d. h. das Brechen einer gebotenen Ordnung, bedeutet die »Auflehnung des Täters gegen den allgemeinen Willen des Rechts«[9]; der Täter, der »vor sich selbst wie vor der Rechtsgemeinschaft schuldig wird«, fordert »die Vergeltung als die notwendige Folge der Tat heraus«[10]. Dass Verbrechen wie Mord und Totschlag als Motive eines Gedankenspiels und als raffiniert gestellte Rätselaufgabe benutzt werden, dass also »der Mord und die Entlarvung des Täters [...] auf ein letztlich immer lösbares Rätsel reduziert wird«[11], ist ein Vorwurf besorgter Soziologen und Pädago-

Verbrechen als Gedankenspiel

gen. Es könnte sich jedoch zeigen, dass sich auch der Vorwurf, im Kriminal- oder Detektivroman werde leichtfertig und allzu spielerisch mit Verbrechen umgegangen, als Vorurteil erweist. Vom Autor gewählte literarische Gattungen und Gegenstände sagen noch nichts aus über die von ihm verfolgte Intention.

2. Inhalt

1. (5–12) Am Morgen des 3. November 1948 wird Ulrich Schmied, Polizeileutnant der Stadt Bern, von dem Polizisten Alphons Clenin in der Nähe des Schweizer Ortes Lamboing in einem blauen Mercedes tot aufgefunden und nach Biel, der nächsten Stadt, überführt. Sein Vorgesetzter, Kommissar Bärlach in Bern, ein welt- und menschenerfahrener Kriminalbeamter, »über sechzig« (10) und »nicht mehr so ganz gesund« (15), nimmt sich des Falles an, verfügt vorläufige Geheimhaltung gegenüber der Presse und besorgt sich aus der Wohnung des Toten eine »Mappe, die auf dem Schreibtisch lag« (12).

Der »Fall Schmied«

2. (13–17) Im Gespräch mit seinem Vorgesetzten, dem Untersuchungsrichter Dr. Lucius Lutz, erklärt Bärlach, dass er zwar »irgendwen in Verdacht« (14) habe, mehr jedoch nicht sagen könne. Zur weiteren Aufklärung des Falles wird ihm der Kollege Tschanz zugeteilt, den man extra aus »den Ferien im Berner Oberland« (15) holt. Mit dem Polizisten Blatter fährt Bärlach zum Tatort und findet dort eine »Revolverkugel« – »Zufall« (17), wie Bärlach Blatter gegenüber zugibt.

Der Kollege Tschanz

3. (18–23) Am nächsten Morgen meldet sich Tschanz, der »den gleichen Mantel wie Schmied und einen Filzhut« trägt, bei Bärlach, der ihm zwar die am Tatort gefundene Kugel zeigt, nicht aber »die Mappe Schmieds« (18). Tschanz erklärt, aus Indizien bereits geschlossen zu haben, wie Schmied ermordet worden sei. Aus einem Kalender Schmieds wisse er außerdem, dass dieser häufig – so auch am Tag seiner Ermordung – bei einer mit G abgekürzten Person oder Institution eingeladen gewesen sei. Diese Spur wolle er verfolgen: Er plane, am gleichen Tag noch, »um sieben, zur selben Zeit wie das Schmied auch immer getan hat« (22), nach Lamboing zu fahren. Zu seiner Überraschung will Bärlach ihn begleiten. Von seinem Verdacht, wer der Mörder Schmieds sein könnte, gibt Bärlach nichts preis.

Die Spur zu G

4. (24–28) Tschanz holt Bärlach in dessen Wohnung ab. Tschanz wählt eine in den Augen Bärlachs »ungewöhnliche Route« (26), die aber zwei Tage zuvor auch Schmied gefahren zu sein scheint. Jedenfalls erfährt Tschanz an einer Tankstelle, dass einer »am Mittwoch Abend« dagewesen sei, »der seinen Wagen den blauen Charon nannte« (27). So nannte Schmied, wie Tschanz und Bärlach wissen, seinen Mercedes. Kurz vor acht halten sie auf der »Straße von Twann nach Lamboing« (28) und beratschlagen.

5. (29–31) Während sie warten, erklärt Tschanz, er vermute, dass es an diesem Abend genau da »eine Gesellschaft gibt« (29), wo sich Schmied am Abend vor seiner Ermordung aufgehalten habe. Tatsächlich fahren mehrere Autos an ihnen vorbei. Als sie ihnen folgen, stehen sie bald vor einem »Haus, von Pappeln umrahmt« (30). Das auf dem Türschild abgebildete G steht für Gastmann, wie Tschanz aus dem Telefonbuch weiß und nun Bärlach gegenüber erklärt.

Vor Gastmanns Haus

6. (32–41) Als Tschanz und Bärlach um das von einer Mauer umgebene Anwesen Gastmanns gehen, wird Bärlach von einem riesigen Hund angefallen, den Tschanz mit seinem Revolver erschießt. Gastgeber und Gäste treten ans Fenster. Man ist empört und weigert sich zunächst, mit den Polizisten zu reden. Dann aber werden die beiden Kriminalisten von Oberst von Schwendi, der zugleich Nationalrat und Advokat ist, in anmaßender Weise zur Rede gestellt. Als der Oberst jedoch hört, dass »eine Untersuchung über den Mord an Polizeileutnant Schmied« (38) geführt werde, zeigt er sich plötzlich kooperationsbereit und verspricht, mit Gastmann zu reden und am nächsten Tag auf das »Bureau« (39) zu kommen. Während Tschanz weitere Erkundungen in Lamboing macht und dort die Polizisten Clenin und Charnel trifft, gibt Bärlach vor, in einem kleinen Restaurant an der Straße etwas für »[s]einen Magen« (39) tun zu wollen.

Konfrontation mit von Schwendi

7. (42–44) Bärlach hat im Restaurant nur »einen Schnaps getrunken« (42), ist dann vorgegangen und hat genau am Tatort auf Tschanz gewartet. Tschanz nimmt ihn ins Auto – »weiß vor heimlichem Entsetzen« (43). Ihm ist bewusst, dass gerade der Tathergang nachgespielt wurde. Auf der Fahrt nach Bern berichtet Tschanz, was er erfahren hat. Zu Hause angekommen, dankt Bärlach Tschanz noch einmal, dass er ihm »das Leben gerettet« (44) habe. Als er allein ist, holt er einen Revolver aus der Manteltasche. Sein linker Arm war »mit dicken Tüchern umwickelt« (44), wie man jetzt sieht. Bärlach war also auf Gefahren besser vorbereitet, als Tschanz erkennen konnte.

Der nachgespielte Tathergang

8. (45–50) Wie angekündigt, spricht Nationalrat von Schwendi am nächsten Morgen, an dem Samstag, an dem Schmied beerdigt werden soll, im Polizeibüro vor – doch nicht bei Bärlach, sondern bei Dr. Lutz. Von dem Oberst erfährt Lutz, dass Schmied mit falscher Identität »unter dem Namen Doktor Prantl« (47) an einigen Treffen bei Gastmann teilgenommen habe. Nationalrat von Schwendi glaubt annehmen zu müssen, dass Schmied »für eine fremde Macht« (48) spioniert habe; denn bei den Treffen sei es um »politische Vorgänge von eminenter Wichtigkeit« gegangen, die aber im Interesse der beteiligten Schweizer Industriellen wie auch der Angehörigen »einer fremden Gesandtschaft« (50) geheim bleiben müssten.

Lutz und von Schwendi

9. (51–55) Im weiteren Gesprächsverlauf stellt von Schwendi die Bedeutung der in Gastmanns Haus stattfindenden Verhandlungen »um ein neues Handelsabkommen« (51) heraus, dessen Abschluss durch den »Fall Schmied« (52) gefährdet sei. Der eingeschüchterte Untersuchungsrichter Dr. Lutz verspricht, bezüglich Gastmann eine »Untersuchung so harmlos wie nur immer möglich zu gestalten« (54). Der Nationalrat ist zufrieden: »Du wirst Gastmann in Ruhe lassen, Lützchen, ich nehme dich beim Wort« (54).

Die Einschüchterung des Dr. Lutz

10. (56–62) Zur Beerdigung von Schmied treffen Bärlach, Lutz, Tschanz, die Zimmerwirtin Schmieds und Anna, seine Freundin, zusammen. Trotz eines heftigen Unwetters verläuft die Zeremonie feierlich, bis »ein wil-

Beerdigung Schmieds

der, grölender Gesang« (59) einbricht und zwei Männer, »befrackte Schlächter, schwer betrunken«, einen Kranz mit der Aufschrift »Unserem lieben Doktor Prantl« über den Sarg werfen (61) – offensichtlich in Gastmanns Auftrag.

11. (63–72) Als Bärlach nach Hause kommt, sitzt an seinem Schreibtisch ein Mann, den er seit langem kennt, den er jetzt als »Gastmann« identifiziert, der augenblicklich interessiert in »Schmieds Mappe« (64) blättert und der seinerseits genau über Bärlach und sein Denken und Handeln, sogar über seine Krankheit Bescheid weiß. Bärlach und der, der sich jetzt Gastmann nennt, haben, wie offenbar wird, eine gemeinsame lange Vergangenheit. »Vierzig Jahre« zuvor haben sich Bärlach – »damals ein junger Polizeifachmann aus der Schweiz in türkischen Diensten« – und Gastmann – »ein herumgetriebener Abenteurer« (65) – kennen gelernt und haben dort am Bosporus über Gott und die Welt diskutiert. Als Bärlach die These vertrat, dass »die meisten Verbrechen zwangsläufig« aufgeklärt würden, sein Gegenüber aber behauptete, dass es Verbrechen gebe, »die *nicht* erkannt werden könnten« (67), schlossen sie eine Wette ab. Um den Sieger zu ermitteln, hatte Gastmann einen »deutschen Kaufmann [...] ins Wasser gestoßen« (69), sodass er ertrank. Dieses Verbrechen wurde nie aufgeklärt. Seitdem verfolgt Bärlach den, der sich nun Gastmann nennt, und hofft immer noch, dass es ihm gelinge, ihm eines seiner »Verbrechen zu beweisen« (72). Als Gastmann dann Schmieds Mappe mit sich nimmt, steht Bärlach

Bärlach und Gastmann

Die Wette

wieder mit leeren Händen da, gepeinigt von einem neuen Schmerzanfall.

12. (73–75) In einer nachmittäglichen Unterredung geht Bärlach ohne Widerspruch auf die Anordnungen des Dr. Lutz ein, Gastmann aus den Untersuchungen auszuklammern, obwohl er weiß, dass die Recherchen von Lutz über Gastmann falsch sind. Mit Tschanz, der inzwischen den blauen Mercedes des Dr. Lutz gekauft hat, fährt er zu jenem Schriftsteller, der nach Angaben der Polizisten von Lamboing ebenfalls an Gastmanns Treffen teilgenommen hatte.

Beim Schriftsteller

13. (76–83) Der Schriftsteller, für den Gastmann »ein Nihilist« (82) ist, hält diesen »zu jedem Verbrechen fähig«, ist aber auf Grund der Faktenlage »überzeugt, dass er den Mord an Schmied nicht begangen hat« (81).

14. (84–87) Tschanz drängt, nach dem Besuch bei dem Schriftsteller nun Gastmann aufzusuchen; denn er meint, eine einmalige »Chance« (86) zu haben, wenn er Gastmann als Schmieds Mörder überführt. Doch Bärlach weigert sich und will »eine Woche Krankenurlaub« (87) nehmen.

15. (88–90) Am Abend besucht Bärlach seinen Hausarzt, der ihn über den Stand seiner Krankheit aufklärt, über den auch Gastmann, der offensichtlich in der Arztpraxis eingebrochen war, Bescheid wusste. Vom Arztzimmer aus sieht Bärlach, wie Tschanz mit der Freundin Schmieds in ein italienisches Restaurant geht.

Bärlach bei seinem Hausarzt

16. (91–95) In der Nacht wird Bärlach von einem Unbekannten, der sich in der Wohnung genau auszukennen scheint, überfallen. Bärlach entgeht dem Anschlag.

Überfall auf Bärlach

17. (96–100) Bärlach schildert dem sofort herbeigerufenen Tschanz den Überfall, behauptet: »Ich weiß, wer es gewesen ist« (97). Ohne weitere Auskunft entlässt er Tschanz. Am frühen Sonntag Morgen ruft er ein Taxi, um sich zum Bahnhof bringen zu lassen. Als er in den Wagen steigt, merkt er, dass er von einem Diener Gastmanns chauffiert wird und dass Gastmann hinten im Auto sitzt. Statt, wie von Gastmann gefordert, die Wette aufzugeben, erklärt Bärlach: »Ich habe dich gerichtet, Gastmann, ich habe dich zum Tode verurteilt. [...] Der Henker [...] wird heute zu dir kommen« (100). Bärlach betritt ungehindert den Bahnhof.

Bärlachs Ankündigung

18. (101–105) Etwas später am Morgen passt Tschanz Fräulein Anna, die Freundin Schmieds, nach dem Gottesdienst in der Kathedrale ab, sagt, dass er »heute [...] Ulrichs Mörder stellen« (101) werde, und fragt, ob er bei ihr die Stelle des Bräutigams einnehmen dürfe. Etwas zögernd sagt sie zu. Dann begibt sich Tschanz nach Lamboing, trifft auf den reisefertigen Gastmann, schießt »dreimal in das [...] verhallende Lachen Gastmanns hinein« (105), nachdem einer der Diener Gastmanns zuvor geschossen und nachdem Gastmann erkannt hat, dass Tschanz der angekündigte Henker ist.

Henker Tschanz

19. (106–109) Die Polizei, von Tschanz herbeitelefoniert, findet »Tschanz blutend«, Gastmann und die beiden Diener tot, jeder »einen Revolver« in der Hand, mit dem »noch geschossen« worden war (106). Lutz und Schwendi rekapitulieren am nächsten Morgen in Biel angesichts der drei Leichen, was geschehen ist. Als sie ihre Schlüsse dem hinzukommenden Bärlach darlegen, schweigt dieser.

Fehlschlüsse

20. (110–117) Tschanz merkt, »daß er in eine heimtückische Falle geraten« ist, als er Bärlach am Abend bei einem üppigen Mahl gegenübersitzt und dieser ihm sagt: »Du bist Schmieds Mörder« (112). Bärlach legt Tschanz dar, wie dieser selbst ihm, Bärlach, die »Tat schon lange bewiesen« (113) hatte und welche Motive er, Tschanz, hatte, »Schmied zu töten« (114). Bärlach gibt zu, Tschanz später als Mittel benutzt zu haben, um Gastmann zu erledigen. Bärlach war also der »Richter«, der sich Tschanz zu seinem »Henker« erwählte und ihn damit zum »Verbrecher« machte (117).

Bärlachs Resümee

21. (118) Tschanz nimmt sich das Leben; Bärlach benachrichtigt seinen Arzt, er sei zur Operation bereit.

Schlüsse

3. Personen

»Kommissär« Bärlach und der Abenteurer Gastmann sind die Kontrahenten, die sich ein Leben lang gegenseitig beobachten und darauf aus sind, eine Wette für sich zu entscheiden. Bärlach ist eingebunden in einen Polizeiapparat, zu dem seine Vorgesetzten und seine Untergebenen gehören. Gastmann versammelt um sich Leute seiner Wahl.

Beruflicher Werdegang

Bärlach. Kommissar Hans Bärlach ist Schweizer von Geburt, besuchte das »Gymnasium« (88), lebte später lange im Ausland – »in Konstantinopel und in Deutschland« – und hatte sich »als bedeutender Kriminalist hervorgetan«, ehe er eine Stelle in seiner »Vaterstadt [...] Bern« (8) annahm. Er ist »über sechzig« (10), wohnt seit dem Jahr »dreiunddreißig in einem Haus an der Aare« (24), ist Junggeselle, raucht gern und viel und ist ein Liebhaber des guten Essens und der Kochkunst. Allerdings ist er krank: Er hat häufig »Magenbeschwerden« (15), erleidet oft heftige »Schmerzattacken« (72), beantragt später einen »Krankheitsurlaub« (74, 87), weiß, dass er »nur noch ein Jahr« zu leben hat, selbst wenn er sich »innert drei Tagen operieren« lässt (89).

Private Lebensverhältnisse

Bärlach beweist eine große Eigenständigkeit des Denkens und Handelns. Es spricht für ihn, dass er 1933 in Frankfurt einen »hohen Beamten der damaligen neuen deutschen Regierung« (8), einen Nationalsozialisten also, ohrfeigte, während die neutrale Schweiz einen Konflikt mit dem Nazi-Regime scheute. Souverän tritt er auch seinem

Selbstbewusstsein und Eigenwilligkeit

»Chef, Dr. Lucius Lutz«, gegenüber auf, auch wenn dieser promoviert ist, an der Universität Vorlesungen hält und gerade von einem »Besuch der New Yorker und Chicagoer Polizei« zurückkehrt (8). Selbstbewusst vertritt er seine Meinung, betritt das Büro seines Vorgesetzten, »ohne anzuklopfen« (56), zündet sich sogar vorher eine Zigarre an, »wohl wissend, daß der sich jedesmal über die Freiheit ärgerte« (13). Er darf sich offensichtlich erlauben, auf die direkte Frage von Dr. Lutz, wen er im Fall Schmied »im Verdacht« habe, die abweisende Antwort zu geben: »Das kann ich Ihnen noch nicht sagen« (14). Einer Diskussion »über den Wert der modernen wissenschaftlichen Kriminalistik« (15) weicht er selbstbewusst aus; er ist sich sicher, mit den ihm eigenen Methoden herauszufinden, »wer den Schmied getötet hat« (14).

Überraschendes Verhalten

Dass er das unprofessionelle Verhalten des Polizisten Alphons Clenin, der den Toten »den See entlang gegen Biel fuhr« (6), nicht tadelt, verwundert den Leser ebenso wie die Aussagen Tschanz gegenüber, dass er »den Toten nicht gesehen« und das »Protokoll« (20) nicht gelesen habe. Erst später erfährt der Leser, dass er zu diesem Zeitpunkt bereits einen gesicherten Verdacht hat, wer Schmieds Mörder ist. Später merkt der Leser auch, dass Bärlach nicht der Kauz ist, für den man ihn halten könnte, sondern ein erfahrener Stratege und Taktiker. Er überrumpelt Frau Schönler,

Strategie und Taktik

um an Schmieds Unterlagen zu kommen, redet doppeldeutig, dass Schmied »diese Nacht dienstlich verreisen« musste und nun »mehr in der Höhe« (10) sei, dass man aber von solchen Reisen »gewöhnlich keine Postkarten« (11) schreibe. Dr. Lutz gegenüber verspricht er, »rücksichtslos ein[zu]greifen« (14), wenn es um die Aufklärung des Verbrechens gehe. Er dürfte damit die Herausforderung meinen, gegen Tschanz, den Kollegen, ermitteln zu müssen, was Lutz so nicht verstehen kann. Ebenso wenig wird Tschanz verstehen, was Bärlach meint, wenn er auf das Angebot von Tschanz, er könne allein zum Tatort nach Lamboing fahren, sagt: »Das könnte Ihnen gerade so passen, daß ich zu Hause bleibe« (25). Tschanz auf dieser Fahrt genau zu beobachten ist Teil von Bärlachs Strategie, von der Tschanz selbstverständlich nichts weiß. Erst am Schluss wird Bärlach eingestehen: »Alles, was ich tat, geschah mit der Absicht, dich in die äußerste Verzweiflung zu treiben« (116).

Verstellungen

Bärlach verstellt sich gegenüber Tschanz, wenn er sagt, über die persönlichen Verhältnisse Schmieds – so über »Anna« (20) – nicht Bescheid zu wissen. Er reizt ihn bewusst, wenn er die Vorzüge Schmieds mit dem Satz »Tschanz, der war uns über« hervorhebt, wenn er diesen Schmied als klaren Kopf hinstellt, »der wußte, was er wollte, und verschwieg, was er wußte, um nur dann zu reden, wenn es nötig war« (19). Ganz nebenbei beschreibt er damit seine eigene Strategie, ohne dass Tschanz das merkt. Er verlockt Tschanz zu unüberlegtem Tun, wenn er ihm sagt: »Die Haustüre ist nie geschlossen« (25), obwohl das so nicht stimmt. Für die Fahrt nach Lamboing ist Bärlach mit »Revolver« und mit »dicken Tüchern« (44) umwickeltem Arm besser gerüstet, als Tschanz vermutet. Mit kühler Berechnung bereitet er die Situation vor, in der Tschanz am »Tatort« nachspielt, was »auch Schmied begegnet war« (43) und was Tschanz schon als Ergebnis seiner Recherchen vorgetragen hatte: Schmied »kannte den Mörder, weil er sonst nicht gestoppt hätte« (20).

»Im Übermut geschlossene Wette«

Das zentrale Ereignis in Bärlachs Leben ist die Wette, die er in jungen Jahren in Konstantinopel mit jenem Abenteurer geschlossen hat, der ihm jetzt im Alter wieder entgegentritt. Die »im Übermut« geschlossene Wette zielte darauf ab zu prüfen, ob es möglich sei, »Verbrechen zu begehen, die *nicht* erkannt werden könnten«, oder ob allein schon der »Zufall [...] der Grund sei, der die meisten zwangsläufig zutage fördern müsse« (67). Um die These zu beweisen, wurde der Abenteurer zum Mörder und später zum skrupellosen Verbrecher. Bärlach wurde »ein immer besserer Kriminalist« (69), weil auch er von seiner These überzeugt war. Die Wette ist so lange nicht entschieden, wie der eine Verbrechen begeht und der andere bemüht ist, diese aufzudecken. Deshalb ist Schmieds Tod für Bärlach ein harter Schlag, weil Schmied dabei war, für Bärlach Beweise zu sammeln.

Bärlach als Richter

Bärlach gibt nach Schmieds Tod die Rolle als Aufklärer auf, maßt sich die Rolle eines Richters an und zwingt Tschanz die Rolle eines Henkers auf. Bärlach erledigt am Ende Gastmann, wie »der Jäger [...] das Wild erledigt« (108). Um seinen Gegner »zu vernichten« (109), da er ihn nicht mehr »stellen« (116) konnte, hat er Unrecht billigend in Kauf genommen. Wenn Bärlach sich als »großer alter schwarzer Kater, der gern Mäuse frißt« (21) ausgibt, so gesteht er ein, dass es ihm am Schluss in erster Linie um einen Sieg über seinen Gegner geht und nur zweitrangig um Recht, Gesetz, Strafe und Sühne.

Gastmann. Über die wahre Identität jener Person, die als »Gastmann« einflussreiche Leute um sich versammelt und am Ende von Tschanz, dem behördlichen »Stellvertreter in der Mordsache Schmied« (15), erschossen wird, erfährt man wenig Gesichertes. Einzig Kommissar Bärlach weiß »seit einiger Zeit ganz genau« (64), dass der, der sich mit dem Namen Gastmann in Lamboing niedergelassen hat, jener »Abenteurer« ist, mit dem er »vierzig Jahre« (65) zuvor »im Übermut eine Wette geschlossen« (67) hat, die noch nicht entschieden ist.

Der Abenteurer

Als sich Bärlach und dieser Gastmann nach vierzig Jahren zum ersten Mal wieder gegenübersitzen, resümiert der Zurückgekehrte, dass er »in diesem gottverlassenen Dorf« – gemeint ist Lamboing – geboren wurde und dass er sich »dreizehnjährig in einer Regennacht« (70) fortgestohlen habe. Von einem Vater scheint er nichts zu wissen; geboren hat ihn, so vermutet er, »irgendein längst verscharrtes Weib« (70). So zog er damals los, »gierig, dieses mein einmaliges Leben und diesen ebenso einmaligen, rätselhaften Planeten kennenzulernen« (65).

Herkunft

Die Polizisten von Twann und Lamboing, die die Vorgeschichte dieses Gastmann nicht kennen, wissen, dass er »ein Haus gekauft habe, zu dem immer viele Gäste kämen« (40), halten ihn für »très riche«, »très noble« und für einen »Philosophen« (41). Für sie ist er »der sympathischste Mensch im ganzen Kanton« (41). Nationalrat von Schwendi, der sich als Anwalt Gastmanns zu erkennen gibt, hält seinen Klienten für einen Mann großen Formats, der es »ablehnte, in die Französische Akademie gewählt zu werden«, der »als jahrelanger Gesandter Argentiniens in China« bei den Großmächten Vertrauen genieße und als »ehemaliger Ver-

Einschätzung durch andere

waltungspräsident des Blechtrusts« auch das Vertrauen der Industrie erworben habe (53).

Eine Fehlinformation

Untersuchungsrichter Lutz glaubt erfahren zu haben, dass dieser Gastmann »gebürtig aus Pockau in Sachsen, Sohn eines Großkaufmanns in Lederwaren« (73) sei, das »Kreuz der Ehrenlegion« trage und durch »Publikationen über biologische Fragen bekannt geworden« (74) sei.

Ein »Nihilist«

Der Schriftsteller, der im Hause Gastmanns verkehrte, schätzt vor allem die Kochkunst des Gastgebers, hält ihn im Übrigen »zu jedem Verbrechen fähig« (81), weil er ein »Nihilist« sei, ein Mensch also, der »das Gute ebenso aus einer Laune, aus einem Einfall tut wie das Schlechte« (82). Gastmann, so soll man folgern, handelt nicht nach moralischen Grundsätzen, sondern aus der »Freiheit des Nichts« (83). Anders als Tschanz hofft, kommt er aber als Mörder Schmieds nicht in Frage, wie der Schriftsteller richtig schließt (vgl. 80) und Bärlach längst weiß (vgl. 99).

Bärlachs Gegenspieler

Für Kommissar Bärlach ist Gastmann der Gegenspieler, gegen den er seit 40 Jahren eine Wette laufen hat, die er mit allen Mitteln zu gewinnen sucht. Er sieht in ihm den skrupellosen Verbrecher, den »die Lust« trieb, »immer kühnere, wildere, blasphemischere Verbrechen zu begehen« (69), um Bärlach, seinen Gegenspieler, herauszufordern und zu reizen. Nun glaubt Gastmann den Sieg vor Augen zu haben, da sich zu bestätigen scheint, dass es möglich sei, »Verbrechen zu begehen, die nicht erkannt werden« (67) können.

Dass Bärlach von seinen Grundsätzen abweicht, um seinen Gegner zu erlegen, hat dieser nicht vorausgesehen.

Gastmann wird am Schluss wegen eines Verbrechens »hingerichtet«, das er nicht begangen hat, von einem Henker, der so zum Mörder wird. Bärlach, der Schachspieler, trägt um den Preis, dass er den eigenen hohen Vorstellungen von Recht und Gerechtigkeit untreu wird, den äußeren Sieg davon.

Das Ende Gastmanns

Dr. Lucius Lutz ist Untersuchungsrichter und Chef der Berner Kriminalpolizei. Seine Stellung scheint er vor allem der Tatsache zu verdanken, dass er einem angesehenen und vermögenden »stadtbernischen Geschlecht« (8) entstammt. Er hält Vorlesungen »auf der Universität über Kriminalistik«, um sein Ansehen zu erhöhen, und redet verächtlich »über den vorweltlichen Stand der Verbrecherabwehr der schweizerischen Bundeshauptstadt« (8). Begeistert spricht er »über den Wert der modernen Kriminalistik« (15), deren Methoden er bei »einem Besuch der New Yorker und Chicagoer Polizei« (8) kennen gelernt zu haben vorgibt.

Die Stellung

Der etwas ungewöhnliche Vorname Lucius, der Anklänge an das lateinische Wort für Licht, Erleuchtung, Aufklärung, nämlich *lux*, wachruft, darf als Ironiesignal verstanden werden; denn dieser Lucius Lutz täuscht sich nicht nur in Tschanz, von dem er meint, dass er bemüht sei, »kriminalistisch auf der Höhe zu bleiben« (15). Er lässt sich von Nationalrat von Schwendi ausspielen und durchschaut nicht einmal im Rückblick, was in seinem Amtsbereich wirklich geschehen ist. Er hält Tschanz, den Mörder Schmieds, für den erfolgreichen Aufklärer, den er glaubt »befördern [zu] müssen« (109).

Die angezweifelte Kompetenz

Er selbst und Bärlach stehen, wie er sagt, »wie Esel [...] da« (108), was der Leser bezüglich der Person Bärlachs nicht bestätigen wird.

Der Ehrgeiz und die Folgen

Tschanz ist der ehrgeizige Kriminalist, der voller Neid auf seinen Kollegen Ulrich Schmied blickt, dem all das gelingt, was ihm, Tschanz, versagt zu sein scheint. Er fühlt sich benachteiligt und glaubt, den Grund in den Vorbedingungen zu sehen, dass er nämlich – anders als Schmied – keine »reichen Eltern« hatte und nicht »das Gymnasium besuchen« (26) konnte.

Konkurrenz

Tschanz sieht in Schmied den Konkurrenten, an dem er sich ausrichtet und den er zugleich hasst. Er kleidet sich wie Schmied, trägt den »gleichen Mantel wie Schmied und einen ähnlichen Filzhut« (18). Um ein ähnliches Auto wie Schmied zu fahren und um die Augen von Schmieds Freundin Anna auf sich zu lenken, glaubt er, Schmied umbringen zu müssen. In der Aufklärung des Mordfalls sieht er »eine Chance [...] hinaufzukommen« (86). Er glaubt, hinreichend klug vorgegangen zu sein, um Gastmann als Mörder überführen zu können und sich selbst als kompetenten Aufklärer zu empfehlen. Einzig Bärlach durchschaut Tschanz, reizt ihn, lockt ihn in Fallen unterschiedlicher Art und weist ihm am Ende den Mord an Schmied nach.

Henker und Mörder

Vorher aber benutzt er Tschanz als Spielball, mit dem er Gastmann in die Enge treibt und erledigt. Tschanz läuft in alle Fallen, die Bärlach ihm aufstellt, wird als Bärlachs Henker und indem er einen Tag später »unter seinem vom Zug erfaßten Wagen tot aufgefunden« (118) wird zum dreifachen Mörder. In Tschanz hatte Bärlach seine letzte Chance gesehen, Gastmann zu erledigen, ohne selbst töten zu müssen.

Der Schriftsteller. Dürrenmatt hat sich mit der Person des Schriftstellers »selber in den Roman hineingespielt: Er ist ganz unverkennbar jener Schriftsteller, den Bärlach verhört, jener Schriftsteller, der allzu gern hätte, daß man ihm einen Mord wenigstens zutraue [...], der an einem bösen Magengeschwür leidet und strengste Diät halten sollte.«[12] Es ist nur konsequent, dass Dürrenmatt in der späteren Verfilmung des Romans die Rolle selbst übernahm.

Der Autor in der Rolle des Schriftstellers

Autobiographische Züge erhält das 13. Kapitel auch dadurch, dass der Schriftsteller wohnt und arbeitet wie der Autor, dass er ähnlich gekleidet ist und dass zum Hausstand Kind und Hund gehören. Wichtiger sind jedoch die Selbstoffenbarungen, dass es sein Beruf sei, »den Menschen auf die Finger zu sehen«, »eben auch eine Art Polizist«, »aber ohne Macht, ohne Staat, ohne Gesetz und ohne Gefängnis hinter sich« (81). Deshalb – so der Schriftsteller – könnte er »sein Leben drangeben, diesen Mann und diese seine Freiheit zu studieren« (83). Sein Interesse gilt der Frage, wie sich die verschiedenen Menschen in unterschiedlichen Situationen verhalten.

Dürrenmatts Selbstdarstellung

Wie Bärlach eingesteht, dass »das Böse [...] das große Rätsel« sei, »das zu lösen ihn immer wieder verlockte« (33), so »fasziniert« den Schriftsteller »die Möglichkeit eines Menschen, der nun wirklich ein Nihilist ist [...], der

Das Erkenntnisinteresse

das Gute ebenso aus einer Laune, aus einem Einfall tut wie das Schlechte« (82). Für den »wirklichen Gastmann« (83) interessiert er sich weniger als für den möglichen, von dem er sich – eine Anspielung Dürrenmatts auf seinen Schriftstellerkollegen Max Frisch – »ein Bild« (81) macht. »Was ist der Mensch?« (72) Eine zunächst offene Frage bewegt in ähnlicher Weise Bärlach, den Schriftsteller und Gastmann. Am Ende wird diese Frage zu einem Ausruf des Schreckens.

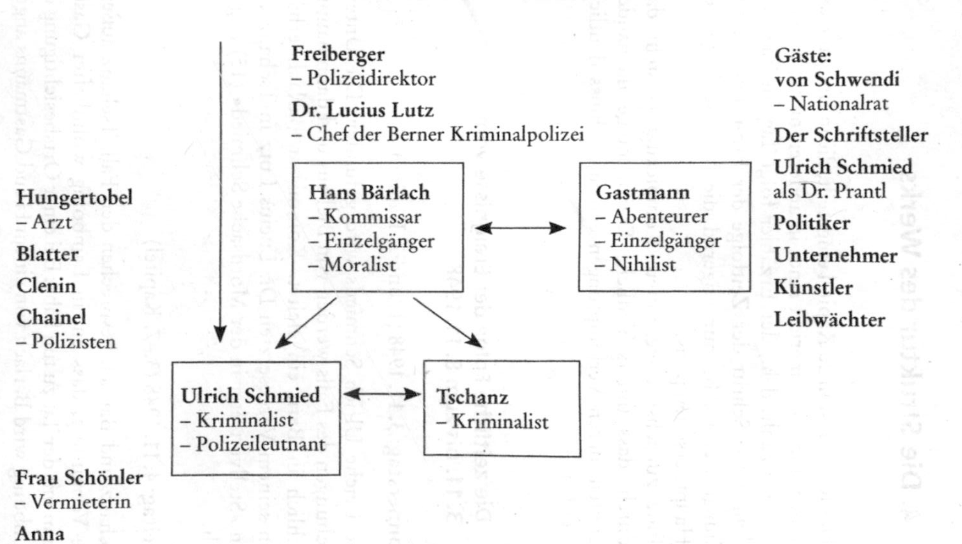

Personenkonstellation
Freiberger
– Polizeidirektor
Dr. Lucius Lutz
– Chef der Berner Kriminalpolizei
Gäste:
von Schwendi
– Nationalrat
Der Schriftsteller
Ulrich Schmied
als Dr. Prantl
Politiker
Unternehmer
Künstler
Leibwächter
Hungertobel
– Arzt
Blatter
Clenin
Chainel
– Polizisten
Hans Bärlach
– Kommissar
– Einzelgänger
– Moralist
Gastmann
– Abenteurer
– Einzelgänger
– Nihilist
Ulrich Schmied
– Kriminalist
– Polizeileutnant
Tschanz
– Kriminalist
Frau Schönler
– Vermieterin
Anna
– Schmieds Freundin

4. Die Struktur des Werks

Der Roman ist in 20 Kapitel eingeteilt, die in einigen Ausgaben durchnummeriert sind, in anderen nicht. Es wird linear erzählt, d. h., der Erzähler folgt Tag für Tag und Schritt für Schritt der Zeitfolge der Ermittlungsbemühungen und gibt nur zögernd die Vorgeschichte der Hauptpersonen preis.
Eine zunächst unvermutete Komplexität entsteht dadurch, dass unterschiedliche Erzählstränge ineinander greifen, deren Verknüpfungen erst am Schluss deutlich werden.

Die zeitliche Folge der Ereignisse vom 3. 11. bis zum 8. 11. 1948

Donnerstag: 3. 11. 1948 (1. und 2. Kapitel)

Die Leiche Ulrich Schmieds wird gefunden. Die Untersuchungen des Falls werden von Biel aus und dann hauptsächlich in Bern eingeleitet. Kommissar Bärlach erhält von seinem Vorgesetzten Dr. Lucius Lutz in Tschanz einen »Stellvertreter in der Mordsache Schmied« (15) zugeteilt.

Freitag: 4. 11. 1948 (3.–7. Kapitel)

Tschanz und Bärlach besprechen den Fall. Tschanz äußert die Vermutung, dass ein in Lamboing wohnhafter Gastmann mit der Tat zu tun habe. Bei einer Ortsbesichtigung in Lamboing wird Bärlach von einem Hund Gastmanns angefallen. Bärlach veranlasst Tschanz auf der Straße von Lamboing, sich so zu verhalten, wie Schmied sich verhielt, als er ermordet wurde. Tschanz merkt, dass Bärlach ihn verdächtigt.

Samstag: 5. 11. 1948 (8.–16. Kapitel)

Der Oberst und Nationalrat von Schwendi beeinflusst Dr. Lutz, die Untersuchungen gegen Gastmann einzustellen. Bei der Rückkehr von Schmieds Beerdigung trifft Bärlach auf Gastmann, der sich Zugang zu Bärlachs Wohnung verschafft und wichtige Unterlagen an sich genommen hat. Bärlach und Gastmann blicken auf ihre gemeinsame Vorgeschichte zurück. Bärlach erbittet eine Woche Krankenurlaub, besucht am Nachmittag zusammen mit Tschanz einen Schriftsteller, der ebenfalls zum Bekanntenkreis von Gastmann gehört, und gerät mit Tschanz in Streit über das weitere Vorgehen. In der Nacht übersteht Bärlach einen Überfall in seiner Wohnung.

Sonntag: 6. 11. 1948 (17. und 18. Kapitel)

Das Auto, das Bärlach zum Bahnhof bringt, ist nicht das bestellte Taxi, sondern ein Wagen Gastmanns, der von dessen Fahrer gesteuert wird. Gastmann droht Bärlach; Bärlach kündigt an: »Der Henker, den ich ausersehen habe, wird heute zu dir kommen« (100). Am Nachmittag erschießt Tschanz Gastmann und seine Diener.

Montag: 7. 11. 1948 (19. und 20. Kapitel)

Dr. Lutz und von Schwendi erklären sich die Zusammenhänge und erliegen ihren Fehlschlüssen, die aber nicht aufgeklärt werden. Bärlach steht vor Gastmanns Leiche als »Richter, dessen Urteil das Schweigen ist« (109).

Am Abend enthüllt Bärlach während eines ausgiebigen Abendessens Tschanz gegenüber die ganze Wahrheit.

Dienstag: 8.11.1948

Tschanz hat Selbstmord begangen. Bärlach wird sich operieren lassen.

Die Verknüpfung der Erzählstränge

Erzählstrang 1: Der »Fall Schmied«

Einem weit verbreiteten Muster des Detektivromans entsprechend, wird dem Leser auf der ersten Seite eine »Leiche« präsentiert: Aus den in der Brieftasche mitgeführten Unterlagen geht hervor, dass es »sich bei dem Toten um Ulrich Schmied handelte, Polizeileutnant der Stadt Bern« (5).

Mit dem »Fall Schmied« (8) wird Kommissar Bärlach betraut, der sofort erste Ermittlungen anstellt, sich dann den jungen Kollegen Tschanz als seinen »Stellvertreter in der Mordsache Schmied« (15) zuordnen lässt, diesen am Ende als »Schmieds Mörder« (112) überführen kann und abschließend feststellt: »Der Fall Schmied ist erledigt« (117).

Erzählstrang 2: Der »Fall Gastmann«

Zwischenzeitlich hat sich jedoch ergeben, dass der »Fall Schmied« nur ein Erzählstrang des Romans ist – und nicht einmal der wichtigste. Kommissar Bärlach ist in eine Geschichte verwickelt, die »vierzig Jahre« (65) zuvor in Konstantinopel begann, in deren Zentrum ein

»Mord« an »einem deutschen Kaufmann« (69) verübt wurde, der nie aufgeklärt wurde und der von lebensentscheidender Bedeutung für den Mörder und für den damals jungen »Polizeifachmann aus der Schweiz« (65) war. Diesen Mörder von Konstantinopel verfolgt Bärlach seit damals, ohne dass er ihm je ein Verbrechen nachweisen konnte.

Als Bärlach erfuhr, dass sich jener immer verfolgte Verbrecher unter dem Namen Gastmann in der Schweiz niederließ, beauftragte er seinen Kollegen Schmied, Gastmann zu beobachten und Material gegen ihn zu sammeln. So wurde Schmied in die Geschichte verwickelt, die ihren Ursprung in Konstantinopel hatte und nun auf Fortsetzung und Abschluss drängt. Schmieds Ermordung ist ein Rückschlag für Bärlach, der nun einen neuen Weg suchen muss, Gastmann zu stellen.

Erzählstrang 3: Der »Fall Tschanz«

Tschanz, der Schmied beseitigte, um dessen Stelle als erfolgreicher Kriminalist einzunehmen, möchte Bärlach beweisen, dass Gastmann Schmieds Mörder ist. Bärlach, der sehr früh in Tschanz den Mörder Schmieds sieht, erkennt, dass Tschanz eine falsche Indizienkette gelegt hat, um den Verdacht auf Gastmann zu lenken. Er treibt Tschanz dazu, Gastmann als angeblichen Mörder Schmieds zu erschießen. Tschanz erfährt im Nachhinein, dass er, der aus niedrigen Motiven den Mord an Schmied beging, zu dem Mord an Gastmann verführt wurde.

Die Fälle und ihre »Lösungen«

Der »Fall Schmied« wird von Kommissar Bärlach aufgeklärt, jedoch nicht zur Anklage gebracht. Für das Gericht bleibt der wahre Mörder Schmieds unbekannt.

Der »Fall Gastmann« wird gegen Recht und Gesetz mit List und Gewalt gelöst. Den Polizei- und Gerichtsbehörden bleibt verborgen, dass hier eine gesetzwidrige Hinrichtung erfolgte.
Der »Fall Tschanz« spielt sich völlig im Verborgenen ab. Nur Bärlach weiß, dass Tschanz der Mörder Schmieds und der Henker Gastmanns ist. Tschanz' Selbstmord ist eine Art Selbstjustiz.
Keines der Verbrechen wird auf legale Weise geahndet. Die Gerechtigkeit mag hergestellt sein, die öffentliche Ordnung dagegen nicht.

Die Struktur des Romans

Die Vorgeschichte als verdeckte Kriminalgeschichte

Bärlach und Gastmann schließen in Konstantinopel eine Wette ab. Gastmann ermordet einen Kaufmann; Bärlach kann die Tat nicht beweisen.	Gastmann übersiedelt nach Lamboing und organisiert in seinem Haus wirtschaftspolitische Verhandlungen.	Polizeileutnant Schmied verschafft sich unter falschem Namen Zugang zu Gastmanns Abenden und ermittelt für Bärlach.	Tschanz erfährt von Schmieds Ermittlungen bei Gastmann.	Tschanz ermordet Schmied.

Die Detektivgeschichte

Schmieds Leiche wird gefunden.	Bärlach holt eine »Mappe« aus Schmieds Wohnung und findet eine Revolverkugel am Tatort.	Bärlach fordert und erhält Tschanz als Vertreter in der Mordsache Schmied.	Bärlach und Tschanz fahren nach Lamboing. Bärlach wird von Gastmanns Hund angefallen. Tschanz reagiert am Tatort, wie Schmied vermutlich reagierte, als er ermordet wurde.	Gastmann erinnert Bärlach an die gemeinsame Geschichte. Er nimmt Schmieds Mappe mit sich.	Bärlach wird in der Nacht in seiner Wohnung überfallen.	Bärlach richtet Gastmann und kündigt einen Henker an. Tschanz erschießt Gastmann und dessen Diener.	Bärlach überführt Tschanz als Mörder Schmieds und erklärt ihm, wie er zum Henker Gastmanns wurde.	Tschanz nimmt sich das Leben. Bärlach meldet sich zur Operation an.

5. Wort- und Sacherläuterungen

5,1–29 **Twann, Lamboing, Bern:** Der Autor siedelt seinen Roman an realen Schauplätzen an. Die genannten Orte lassen sich leicht auf entsprechenden Landkarten finden. Das gilt auch für die im Folgenden genannten Flüsse und Seen. Nähere Erklärungen zu den genannten Städten Konstantinopel und Frankfurt und zu dem auf Seite 10 erwähnten Himalaya-Gebirge bieten Lexika. Eine genaue Orientierung in dem zentralen Handlungsort Bern ist durch einen Stadtplan zu gewinnen. Empfehlenswert ist, die im Roman geschilderten Autofahrten auf einer Straßenkarte zu verfolgen.
Polizeileutnant: höhere Rangstufe im Polizeidienst.

6,18 **Skandale:** schockierende Vorkommnisse; Ärgernisse.

7 **Kommissär:** wörtl. ›Beauftragter‹; Verwalter eines polizeilichen Amtsbereichs; Rangstufe unter dem Direktor und Behördenchef, aber oberhalb des Leutnants.

8,31 **Tram:** (schweizerisch) Straßenbahn.

10,17 **Toteninsel:** bedeutendes Gemälde des Malers Arnold Böcklin (1827–1901).

10,27 **Diwan:** niedriges Liegesofa.

14,9 **Kanton:** Verwaltungsbereich; in der Schweiz: Bundesland.

22,6 **Indizien:** Anzeichen, die mit großer Wahrscheinlichkeit auf den Hergang einer Tat oder die Person eines Täters schließen lassen.

24,11 **Falle:** 1. (schweizerisch) Türklinke; 2. Vorrichtung zum Einfangen von Tieren, z. B. von Mäusen.

26,20 **Charon:** Charon ist in der griechischen Sage der Fährmann, der die Toten über den Fluss Acheron in die Unterwelt bringt.

30,2 **Limousine:** nach der französischen Landschaft Limousin: geschlossener Personenkraftwagen, manchmal mit Schiebedach.

30,12 **Wega:** Stern im Sternbild der Lyra.

30,13 **Capella:** Stern (wörtl. ›Ziege‹) im Sternbild Fuhrmann.

Aldebaran: Stern im Sternbild Stier.

30,14 **Jupiter:** der größte Planet im Sonnensystem.

31,25 **Gendarmerie:** Polizeistation.

32,6 **Jura-Nest:** kleiner Ort im Jura-Gebirge.

35,14 **Tribunal:** Gerichtshof.

Großrat: ehrende Anrede für den Nationalrat (vgl. 36).

36,13 **Nationalrat:** Bezeichnung für die zweite Kammer der schweizerischen Bundesversammlung und deren Mitglieder.

Oberst: hoher militärischer Rang.

36,20 **Separatist:** Anhänger einer Bewegung, die für die Abspaltung eines bestimmten Gebiets vom Staatsganzen eintritt.

36,34 **Protokoll:** förmliche Niederschrift einer Aussage oder gerichtsrelevanter Bericht über einen Vorgang.

38,17 f. **Stammtisch der Helveter:** Zusammenkunft der Mitglieder einer national gesinnten schweizerischen Studentenverbindung.

38,21 **Pianisten:** Pianist: virtuoser Klavierspieler.

38,33 **Advokat:** (lat.) ›der Herbeigerufene‹; also: Rechtsanwalt, Rechtsbeistand.

40,12 **Assassin:** (frz.) Mörder.

40,12 f. **On a rien trouvé:** (frz.) »Man hat nichts gefunden.«

40,19 f. **»Schmied ... impossible«:** (frz.) »Schmied war nicht bei Gastmann. Unmöglich.«
40,32 **dubios:** zweifelhaft.
41,1 **Un Monsieur très riche:** (frz.) ein sehr reicher Herr.
41,2 f. **très noble:** (frz.) sehr vornehm.
41,3 **fiancée:** (frz.) Verlobte.
41,4 **comme un roi:** (frz.) wie ein König.
41,5 **Jamais:** (frz.) niemals, auf keinen Fall.
41,19 **Un chien très dangereux:** (frz.) ein sehr gefährlicher Hund.
45,15 f. **Partei der konservativen liberalsozialistischen Sammlung der Unabhängigen:** satirische Bezeichnung für eine Partei, die – aus opportunistischen Gründen – alle möglichen Richtungen vertritt und deren Mitglieder ›unabhängige Parteizugehörige‹ sind.
Großrat: Rat der Stadt Bern.
46,2 **Tiraden:** Wortschwall, Worterguss.
46,15 **konsterniert:** bestürzt, betroffen.
46,18 **Klienten:** 1. Schutzbefohlene, 2. Auftraggeber eines Rechtsanwalts.
46,34 **Gestapo:** »Geheime Staatspolizei«: gefürchtete Institution der nationalsozialistischen Schreckensherrschaft in Deutschland.
47,5 **Privatdozent:** Hochschullehrer ohne feste Beamtung.
49,29 f. **Schlacht am Morgarten:** Sieg der Schweizer über die Österreicher am 15. November 1315.
49,30 **Niklaus Manuel:** Maler und Dichter (1484–1530).
51,27 f. **bagatellisieren:** als geringfügig hinstellen.
53,19 f. **Verwaltungspräsident des ...trusts:** Vorsitzer einer Unternehmensgruppe, die eine Monopolstellung in einem Wirtschaftsbereich anstrebt.
56,17 **Kaskaden:** stufenförmiger Wasserfall.

59,31 **»Der Tüfel ... krumm«:** »Der Teufel geht um, der Teufel geht um, er schlägt die Menschen alle krumm.«

61,13 **»Der Müllere ... läbt«:** »Der Mann der Müllerin ist tot, die Müllerin lebt, die Müllerin lebt, die Müllerin hat ihren Knecht geheiratet, die Müllerin lebt, sie lebt.«

62,2 **Eiben:** Nadelbäume.

65,34 **These:** Satz. Behauptung, die bewiesen werden muss.

69,15 **Muselmännern:** abwertende Bezeichnung für Muslime.

73,14 f. **in forschem Telegrammstil:** selbstbewusst, kurz und knapp.

74,2 f. **Kreuz der Ehrenlegion:** französischer Orden zur Belohnung von Verdiensten im militärischen und zivilen Bereich.

76,3 **Joch:** Geschirrstück zum Anspannen der Zugochsen.

76,7 **Overall:** (engl.) das ›Über-alles‹; einteiliger, den gesamten Körper bekleidender Schutzanzug; auch für Pullover.

77,11 f. **Bannwart:** Aufseher über ein Forstgebiet.

81,33 **Ich mache mir ein Bild:** Anspielung auf den Schweizer Dichter-Kollegen und -Konkurrenten Max Frisch, der das aus dem Alten Testament abgeleitete Gebot »Du sollst dir kein Bildnis machen« zum Thema mehrere Werke erhoben hat.

82,4 **Nihilist:** Anhänger der Weltanschauung des Nihilismus, der unbedingten Verneinung von Lehr- und Glaubenssätzen und aller Wertsetzungen.

89,18 **innert:** schweizerisch: innerhalb.

98,11 **Physikum:** Vorexamen der angehenden Mediziner in den naturwissenschaftlichen Fächern.

99,25 f. **Fontane:** Werk des deutschen Dichter Theodor Fontane (1819–1898).

107,33 **melancholisch:** schwermütig, trübsinnig.

6. Interpretation

Der Erzähler und seine Erzählstrategie

Der Titel

Der Titel des Romans lässt zunächst an einen ordentlichen Gerichtsprozess denken, an dessen Ende ein Angeklagter einer besonders verabscheuenswürdigen Tat wegen schuldig gesprochen, dann zum Tode verurteilt und schließlich dem Scharfrichter übergeben wird. Sobald man jedoch auf der ersten Seite des Textes erfährt, dass das Verbrechen, das verübt, aber noch nicht aufgeklärt ist, im Jahr 1948 in der Schweiz geschehen sein soll, wird man kaum noch annehmen, auf einen tatsächlichen Henker zu stoßen.

Das Themenfeld

Trotzdem verweisen die Leitwörter »Richter« und »Henker« auf das Themenfeld, in dem es um Recht und Gerechtigkeit, um Verbrechen und Verurteilung, um Schuld und Strafe, manchmal auch um Sühne und Wiedergutmachung geht.

Der Fall und die Ermittlungsfragen

Ein Erzähler, der sich nicht näher vorstellt, informiert in den ersten Sätzen ohne irgendeine Vorrede über die Faktenlage eines Falls, der nach Aufklärung verlangt. Die Fragen, die sich aufdrängen, lauten: Wie ist Ulrich Schmied, der tot aufgefundene Polizeileutnant der Stadt Bern, umgekommen? Wer hat ihn – aus welchem Grund und mit welcher Absicht – umgebracht? Wo ist der Tatverdächtige zu finden und wie ist er dem Gericht zu überstellen? Aufklärung verlangt der Leser vom Erzähler, der ihn mit dem Fall vertraut gemacht hat. Der Erzähler des vorliegenden Romans hält sich jedoch mit

genaueren Erklärungen zurück: Er ist ein sogenannter persönlicher Erzähler.
Im Gegensatz zum Ich-Erzähler, der seine Geschichte selbst erlebt hat, und im Gegensatz zum auktorialen Erzähler, der mehr weiß als die Personen, über die er berichtet, und der öfter mit eigenen Kommentaren zum Erzählten Stellung nimmt, bleibt der personale Erzähler im Hintergrund. Die Folge ist: »Der personale Roman ist [...] ein erzählerloser Roman in dem Sinn, daß der Leser hier nirgends Züge eines Erzählers ausmachen kann und daher auch gar nicht den Eindruck bekommt, als werde erzählt. Im personalen Roman wird gezeigt, vorgeführt, dargestellt.«[13] Der personale Erzähler will die Wirklichkeit zur Geltung bringen, nicht aber eine eigene Meinung vortragen oder gar durchsetzen. Damit fügt er sich in jene »naturalistischen und realistischen Programme« ein, »die größtmögliche Authentizität der dargestellten Welt forderten«.[14]

Der personale Erzähler

Mit der Zeitangabe im ersten Satz – »am Morgen des dritten November neunzehnhundertachtundvierzig« (5) – bietet der Erzähler direkt am Anfang einen Bezug zur Realität. Diese Angabe ist sachlich falsch – laut Kalendarium war der 3. November 1948 anders als im Roman ein Mittwoch –, erfüllt aber trotzdem die Forderung einer realistischen Zeitangabe; denn von jetzt an werden die vier Tage, die zur Aufdeckung des Mordes an Ulrich Schmied nötig sind, in genauer und nachvollziehbarer Weise eingeteilt, bis sich der als Mörder entlarvte Tschanz in der Nacht zum Dienstag selbst umbringt und der todkranke Bärlach erklärt, »jetzt sei Dienstag und man könne ihn operieren« (118).

Zeitangaben

Hauptschauplätze der erzählten Geschichte sind die Schweizer Hauptstadt Bern und Orte um den Bieler See.

Ortsangaben

Ein Blick auf die Generalkarte der Schweiz lässt zu dem Urteil kommen, dass auch hinsichtlich der Ortsangaben wirklichkeitsgetreu berichtet wird. Selbst Lamboing, der Wohnsitz Gastmanns, den sogar der Nationalrat von Schwendi für »einen unbekannten Ort« (53) hält, ist auf einer Karte kleineren Maßstabs zu finden. Die beiden Routen, die von Bern nach Lamboing führen, kann man Ort für Ort nachfahren. Sogar Bärlachs Gänge und Fahrten durch Bern sind auf einem Stadtplan zu verfolgen.

Damit scheint *Der Richter und sein Henker* der Forderung, der Roman müsse Wirklichkeit reproduzieren, zu entsprechen. Trotzdem bietet auch der personale Roman dem Leser gestaltete, nicht abgebildete Wirklichkeit an. »Der Autor des personalen Romans«, heißt es, »konzipiert,

Gestaltete Welt

wählt aus, ordnet, strukturiert die Elemente der dargestellten Welt vielleicht noch sorgfältiger als der Autor eines auktorialen Romans oder eines Ich-Romans, er läßt sich aber dabei immer von der Absicht leiten, diesen geordneten Dingen den Anschein zu verleihen, als wären sie ganz planlos und zufällig der Wirklichkeit entnommen, als hätte eine unsichtbare und unbestechliche Kamera diese Aufnahmen dem Leben, so wie es ist, abgelistet.«[15]

Für die Wirkung und den Erfolg eines Kriminalromans,

Erzählstrategie

vor allem in der Variation des Detektivromans, ist die »Erzählstrategie«[16], die der Autor dem personalen Erzähler an die Hand gibt, von besonderer Bedeutung. Meist strukturiert der Autor eines Detektivromans seine Geschichte so, dass er den Erzähler zuerst das Verbrechen, genauer: das Ergebnis der Verbrechenstat, mitteilen lässt. Danach lässt er ihn nach dem Täter und seinen möglichen Motiven suchen und legt langsam offen, wie der Täter gestellt und dem Gericht überantwortet wird. Indem das Geschehene schrittweise aufgedeckt wird, entsteht ein analytischer Roman – vergleichbar dem analytischen Drama, bei dem, anders als im Zieldrama, »die wesentlichen konfliktauslösenden Ereignisse bereits vor dem Einsetzen der Handlung geschehen und somit weder den handelnden Personen noch dem Publikum bekannt sind«[17].

Tatsächlich aber hat der Autor eines Werks den Plan zumindest in groben Zügen vor Augen, bevor er zu schreiben beginnt. Im Falle des Romans *Der Richter und sein Henker* hat auch der personale Erzähler von vornherein den Überblick über das Ganze und weiß auch um die entscheidenden Details: Indem er aus seinem Wissensvorrat einiges preisgibt, einiges andeutet, anderes zurückhält, treibt er sein Spiel mit dem Leser. Kurz gesagt: »Am Anfang weiß der Erzähler schon alles, der Leser noch nichts. In dem gleichen Maß, in dem die Erzählung vom Anfang zu ihrem Ende fortschreitet, verwandelt sich für den Leser Unbekanntes in Bekanntes und verringert sich der Abstand zwischen Erzähler und Leser. Wenn die Erzählung ihr Ende erreicht hat, hat der Leser den Erzähler eingeholt. Der Leser weiß nun ebenfalls alles, was am Anfang nur der Erzähler wußte.«[18]

Am Schluss durchschaut der Leser also das Spiel und stellt, rückwärts blickend, fest, dass der Erzähler ihm viele Hinweise gegeben hat, die sich aber erst am Ende in das Gesamtbild einfügen.

Der Erzähler der komplexen Geschichte vom Richter und

seinem Henker präsentiert dem Leser zuerst die Leiche von Polizeileutnant Schmied und lässt ihn lange in dem Glauben, dass es einzig und allein um die Aufklärung dieses Mordes ginge. Erst sehr viel später – im 11. Kapitel – eröffnet er, dass mit der vierzig Jahre zuvor geschlossenen Wette des Kommissars und einer Person, die sich neuerdings Gastmann nenne, noch eine Rechnung offen steht. Und erst als Tschanz Gastmann umgebracht hat, durchschaut der Leser, wie Schmied in die Geschichte des Wettstreits zwischen Bärlach und Gastmann verwoben war und wie Tschanz in die Geschichte des Wettstreits hineingezogen wurde. Restlos aufgeklärt ist die Geschichte erst, wenn alle drei Fälle, ihre Ursachen und Konsequenzen, als Einzeltaten und in ihrer Verwobenheit erklärt sind.

Der »Fall Schmied« und das Ganze

Zunächst steht jedoch der »Fall Schmied« (8) im Mittelpunkt. Mit ihm ist Kommissar Bärlach beauftragt, der seinem Vorgesetzten Dr. Lucius Lutz rechenschaftspflichtig ist und dem Tschanz als »Stellvertreter in der Mordsache Schmied« (15) beigegeben ist. Bärlach – das ist von Anfang an deutlich zu erkennen – hält alle Fäden in der Hand; er ist skeptisch und einsilbig, lässt sowohl seinen Vorgesetzten wie auch seinen Untergebenen im Dunkeln – und den Leser auch. Er gibt früh zu, einen »Verdacht« (14, 21) zu haben, behauptet später in anderem Zusammenhang »Ich weiß, wer es gewesen ist« (97), behält aber auch in dem Fall sein Wissen für sich, bis er am Schluss – im vorletzten Kapitel – Tschanz auf den Kopf zusagt: »Du bist Schmieds Mörder« (112) und: »Du hast mich in der Nacht von Samstag auf Sonntag überfallen« (116). Doch wird er die von Tschanz

Vorgehensweise Bärlachs

eingestandenen Tatsachen weder seinem Chef noch seiner Behörde, noch dem Gericht weiterleiten.

Im Rückblick wird dem Leser klar, dass Bärlach bereits am ersten Ermittlungstag, noch ehe er Tschanz als seinen Stellvertreter anforderte, die entscheidenden Indizien, die zum Täter führen, und die Motive, die seine Tat verständlich machen würden, zusammenhatte. Am Tatort hatte er »etwas Hartes« (16), nämlich eine »Revolverkugel« (17) gefunden, und aus Schmieds Wohnung »eine Mappe, die auf dem Schreibtisch lag« (12), mitgenommen. Die Kugel, die aus einem »Armeerevolver« (19) stammt, und die Mappe, die offensichtlich behördlich wichtige Dokumente enthält, lassen Bärlach schließen, dass der Tatverdächtige innerhalb der Polizeibehörde zu suchen sei. Damit fällt sein Verdacht auf Tschanz, der zu dieser Zeit ein paar Tage »Ferien im Berner Oberland« (15) macht, gerade dadurch aber verdächtig ist und nun in die Untersuchung eingebunden wird, an deren Ende ihn Bärlach als Mörder überführt.

Der Rückblick des Lesers

Dass die Mappe die »einzigen, wenn auch dürftigen Beweise« (72) für einige Vergehen Gastmanns enthält, erfährt der Leser erst am Ende des 11. Kapitels. Erst dann kann er ermessen, warum Bärlach die Mappe sicherstellte, noch bevor er zum Tatort fuhr. Verständlich wird, warum er sich »in die Mappe vertieft« (18), sie nach der Unterredung mit Tschanz »im Schreibtisch« verschließt und »den Schlüssel an sich nimmt« (23). Er konnte in diesem Augenblick schon sicher sein, dass Tschanz von der Existenz der Mappe wusste und dass er versuchen würde, sich in ihren Besitz zu bringen; denn auch Tschanz hatte über Frau Schönler an die Mappe kommen wollen (75). Die Mappe hat also, wie man rück-

Die Bedeutung der Mappe

wärts erkennt, insofern eine doppelte Funktion, als sie die Beweise enthält, durch die Gastmann rechtmäßig hätte gestellt werden können, und gleichzeitig ursächlich auf das Motiv verweist, durch das Tschanz zum Mörder an Schmied wurde. Denn Tschanz war »durch Zufall [...] die Mappe mit den Dokumenten« in die Hände gefallen, die Schmied gesammelt hatte; er beschloss deshalb, »Schmied zu töten, um einmal selber Erfolg zu haben« (114). Gastmann hingegen weiß, dass Bärlach mit der Mappe belastendes Material in Händen hat, von dem für ihn Gefahr ausgeht. Deshalb bringt er sich mit Gewalt in den Besitz der Mappe. Diese wird nach dem Schusswechsel, bei dem Gastmann umkommt, in dessen Haus gefunden. Dr. Lutz erläutert daraufhin dem Nationalrat, dass diese »Mappe [...] Schmied gehörte«, dass dieser als »Privatperson« versuchte, »Gastmann zu stellen«, und dass deshalb »Gastmann [...] Schmied ermorden ließ« (107). Die wahren Zusammenhänge werden durch diese Schlussfolgerung verkannt: Gastmann wird in falscher Weise verdächtigt; die Mordtaten von Tschanz bleiben der Behörde verborgen. Den genauen Durchblick haben nur Bärlach, der Erzähler und der Leser.

Bärlachs Grundsatz und sein Vorgehen

Bärlach hatte die Weigerung, den zu nennen, den er als Schmieds Mörder in Verdacht hat, Tschanz gegenüber damit begründet, dass dies »nur eine Idee« sei, die sich als falsch erweisen könne; er setze darauf, dass der, der »es gewesen ist, [...] die Beweise noch liefern« werde; er warte also, »bis die Indizien zum Vorschein gekommen« seien, »die seine Verhaftung rechtfertigen« (22). Aus dem Rückblick wird deutlich, dass Bärlach keineswegs annimmt, der Fall kläre sich von selbst, dass er vielmehr höchst aktiv die Lösung vorantreibt. Schon die Tatsache, dass er Tschanz aus den Ferien holen lässt und zu seinem Stellvertreter macht, ist ein erster genau kalkulierter Zug. Indem er von Schmied sagt, er sei »der begabteste« (19) der Berner Polizeimänner gewesen, der eine »große Zukunft« (26) vor sich gehabt habe, dass Schmied für Bärlach »der beste Kriminalist« war, »den ich je gekannt habe« (86), provoziert er den ehrgeizigen Tschanz. Bärlach zeigt Tschanz die zufällig gefundene »Kugel« (19) und lässt sich von ihm genau erklären, aus welcher Position und unter welchen Umständen der Mörder auf Schmied geschossen habe. Später, als er Tschanz überführt, braucht er keine langen Erklärungen abzugeben. Er kann ihn darauf aufmerksam machen, dass er seine »Tat schon lange bewiesen«, dass er die »Indizien« herbeigeschafft (113), dass er den genauen Tathergang »ja selbst erzählt habe« (114). Da endlich begreift Tschanz, dass »er in eine heimtückische Falle geraten« (112) war.

Bärlachs Verstellungen

Es war geheuchelt, als Bärlach so tat, als wisse er nicht, was »Schmied mit einem Gesellschaftsanzug in der Twannbachschlucht« (20) wolle. Es war gelogen, als Bärlach sagte, er wisse nichts von Schmieds »Reise« noch von einem »Motiv, das seine Reise [...] wahrscheinlich machen würde« (19). Er log, als er sagte, er habe in Schmieds Wohnung »nichts gefunden« (23). Als Tschanz dann erfuhr, dass Bärlach die Mappe aus Schmieds Wohnung mitgenommen hatte, erklärt dieser wahrheitswidrig, sie habe »nichts Amtliches« enthalten, »nur Privatsache« (75).

Bärlachs Fallen

Bärlach verführt Tschanz, der alles daransetzt, in den Besitz der Mappe zu kommen, zum Einbruch in seine Wohnung, wenn er ihm sagt, »die Haustüre« sei »nie geschlossen« (25). Als dann Tschanz nach erfolglosem Einbruch und Überfall noch einmal in Bärlachs Wohnung eindringen will, war »die Haustüre [...] jetzt verschlossen« (98). Bärlach aber weiß jetzt, »wer es gewesen ist« (97). Er hat Tschanz in der Hand.

Den entscheidenden Beweis hat Tschanz jedoch schon vorher gegeben, als er an jenem Abend am Tatort so reagierte wie Schmied, indem er auf »ein Zeichen, der Wagen solle halten«, »unwillkürlich stoppte«, »die rechte Wagentür öffnete« (43) und zu spät erkannte, »dass es Bärlach war« (43), der die Mordszene nachzuspielen veranlasst hatte. Tschanz muss erkennen, dass der Kommissar ihn von diesem Augenblick an für überführt und verurteilt hält und dass dies dadurch zum Ausdruck kommt, »dass ihn der Alte duzte« (43).

Das indirekte Eingeständnis des Tatmotivs

In der nachgespielten Szene zeigt Tschanz, wie der Mord geschah; in einem späteren Gespräch mit Bärlach gibt er das Motiv preis: Er sieht in dem »Fall Schmied« eine »Chance«, eine »einmalige Gelegenheit hinaufzukommen«, während er bisher »übergangen, mißachtet, als letzte[r] Dreck benutzt« worden sei und »im Schatten dessen gestanden« habe, »der nun ermordet worden« sei (86). Noch glaubt er, sein Ziel dadurch erreichen zu können, dass er den Mord Gastmann zuspricht und eine Indizienkette zum Beweis legt; noch weiß er nicht, dass er, seine Tat und auch die Bemühungen, eine falsche Spur zu Gastmann zu legen, von Bärlach längst durchschaut sind.

Aufdecken der Komödie

Endgültig fällt das von Tschanz hergestellte falsche Indiziengebäude zusammen, als Bärlach – angeblich aus Gesundheitsgründen – nach Grindelwald fährt und dort in der Pension Eiger, aus der Tschanz nach Bern gerufen worden war, einen »blauen Mercedes« vorfindet, mit dem Tschanz Bärlach »die Komödie mit dem ›blauen Charon‹« vorgespielt hat (113). Der Beweis ist jetzt lückenlos: Bärlach kennt den Täter, den Tathergang, das Tatmotiv und auch die verzweifelten Versuche des Täters, die Tat auf einen anderen abzuwälzen.

Dennoch schließt Bärlachs Satz »Der Fall Schmied ist erledigt« (117) den Roman nicht ab. Bärlach weiß – im Gegensatz zu Lutz und von Schwendi –, dass Tschanz zum Mörder an Gastmann wurde und dass er selbst Tschanz zu dieser Tat getrieben hat. Er offenbart Tschanz: »Alles, was ich tat, geschah mit der Absicht, dich in äußerste Verzweiflung zu treiben« (116). Und Tschanz erkennt: »Dann waren Sie der Richter, und ich der Henker« (117). Der Fall Schmied ist für Bärlach nicht mehr als ein einzelner Akt in einem sehr viel größeren Drama.

»Richter« und »Henker«

Eine Wette am Bosporus und die Folgen

In der Mitte des Romans, im 11. Kapitel, treffen Kommissar Bärlach und der des Mordes verdächtige Gastmann zusammen und setzen zu einer Bestandsaufnahme an, die weit über den Rahmen dessen hinausgeht, was durch den Fall Schmied vorgegeben ist.

Das zentrale 11. Kapitel

Nur im ersten Augenblick ist Bärlach überrascht, diesen »Gastmann« in seiner Wohnung vorzufinden, »in Schmieds Mappe blätternd« und »mit Bärlachs türkischem Messer« (64) in der Hand. Bärlach, so wird deutlich, kennt diesen Mann, der bei ihm eingedrungen ist und sich Gastmann

Bärlach und Gastmann

nennt; und Gastmann weiß über Bärlach, seinen Gesundheitszustand und seine Ermittlungen genau Bescheid. »Du hast mir den Jungen auf den Hals geschickt« (64), wirft er Bärlach vor und meint damit den ermordeten Schmied, der sich in Bärlachs Auftrag Zugang zu Gastmanns Veranstaltungen verschaffte und seine Beobachtungen »in der Mappe [...] gesammelt hatte« (72), in der Bärlachs »Angaben« (64) auf Ergänzungen warteten. Der Fall Schmied gibt sich so als Glied einer Kette zu verstehen, von der bis zu diesem Augenblick nur Teilstücke gezeigt wurden.

Rückblick

Bärlach und der jetzt in Lamboing wohnhafte Gastmann haben sich »vierzig Jahre« zuvor »in irgendeiner verfallenden Judenschenke am Bosporus« kennen gelernt, tranken, wie sich Gastmann erinnert, »die verteufelten Schnäpse« (65), gerieten in ein hitziges Gespräch, das zur Diskussion wurde, als gegensätzliche Standpunkte zu Tage traten und aufeinander prallten. Bärlach war damals »ein junger Polizeifachmann aus der Schweiz«, in die Türkei bestellt, »um etwas zu reformieren« (65); Gastmann, wie er rückblickend eingesteht, »ein herumgetriebener Abenteurer [...], gierig dieses mein einmaliges Leben und diesen ebenso einmaligen rätselhaften Planeten kennenzulernen« (65). Bärlach hatte also einen fest umschriebenen Auftrag und einen verantwortungsvollen Beruf, in dem er Erfolg und Anerkennung suchte. Gastmann war frei, genoss das Leben und hatte keine bestimmten Ziele. Er hatte sich »dreizehnjährig« aus der Schweiz »fortgestohlen« (70). Es gab also – bis auf die Sprache – kaum etwas, das ihn mit Bärlach verbunden hätte; trotzdem: »Wir liebten uns auf den ersten Blick« (65).

Die Diskussion, die sich »im Moder jener Schenke« zwischen den beiden, deren »Augen wie glühende Kohlen [...]

funkelten« (65), entwickelte, entsprach zunächst den Regeln, die für dieses Sprachspiel gelten. Die Diskutanten stellten entgegengesetzte Thesen auf, deren Voraussetzungen sie benannten und deren Konsequenzen genau bedacht waren. Die These des Polizeifachmanns Bärlach lautete: »Verbrechen zu begehen« ist »eine Dummheit«, weil »die meisten Verbrechen zwangsläufig zutage« (67) gefördert würden. Grund sei die Tatsache, dass, bedingt durch »die menschliche Unvollkommenheit« (65), die Handlungsweise anderer sich nie mit Sicherheit voraussagen lasse und dass der »Zufall, der in alles hineinspielt« (66), nie im Vorhinein einzukalkulieren sei. Verbrechen werden also – so die Konsequenz – aufgedeckt und bestraft. Perfekte Verbrechen seien deshalb nicht möglich, weil sich mit Menschen nicht »wie mit Schachfiguren operieren« lasse (67).

Gastmann stellte damals die Gegenthese auf: Es ist durchaus möglich, »Verbrechen zu begehen, die nicht erkannt werden können« (67). Grund: Die »Verworrenheit der menschlichen Beziehungen« (67) ist so groß, dass man nicht alle Zusammenhänge des Denkens und Handelns durchschauen kann. Folge: »die größte Anzahl der Verbrechen« bleibt »nicht nur ungeahndet, sondern auch ungeahnt« (67).

Die Wette

Beiden Diskutanten gehen die Argumente aus, als sie »nun weiterstritten« (67). Statt den Diskurs weiterzuführen, schließen sie eine Wette ab. Inhalt der Wette ist das im Diskurs verhandelte Problem: Kommen die meisten Verbrechen »zwangsläufig zutage« oder bleibt »die größte Anzahl [...] nicht nur ungeahndet, sondern auch ungeahnt« (67)? Gastmann wettete damals, in Bärlachs »Gegenwart ein Verbrechen zu begehen«, ohne dass Bärlach imstande sein würde, ihm dieses Verbrechen beweisen zu können« (69).

Dem theoretischen Diskurs folgt die praktische Überprüfung in der Form eines Experiments. Ein materieller Preis war, anders als bei sonst üblichen Wetten, nicht vereinbart worden. Es geht um mehr: Die Kontrahenten setzen ihre Lebenskonzepte aufs Spiel, ihre Welt- und Lebensanschauung. Nachträglich erkennen sie, dass diese Wette – »im Übermut [...] geschlossen« – »als eine teuflische Versuchung des Geistes durch den Geist« (67) angesehen werden muss. Diese »eine Nacht« – so wissen beide – »kettete uns für ewig zusammen« (70). Gastmann gibt vor, gern »an diese Stunde zu denken, die dein Leben und das meine bestimmte« (65). Bärlach sieht das anders: Er hätte nie gedacht, dass es irgendeinem Menschen in nüchternem Zustand und im vollen Bewusstsein des damit verbundenen Risikos »möglich wäre [...], diese Wette einzuhalten« (67).

Das Experiment

Gastmann dagegen nimmt die Wette ernst, bereitet das Experiment von seiner Seite aus sorgfältig vor, stößt drei Tage später einen »deutschen Kaufmann« von der »Mahmut Brücke« vor Bärlachs Augen »ins Wasser« (69), begeht damit einen Mord, den Bärlach, um die Wette zu gewinnen, nachweisen muss. Bärlach lässt Gastmann »verhaften«, vor »Gericht« stellen, doch er kann »nichts beweisen« (69). Gastmann ist auf der Gewinnerstraße, Bärlach jedoch gibt nicht auf. Das sehr ernsthafte Spiel wird fortgesetzt: Bärlach wird im Laufe der Zeit ein »immer besserer Kriminalist« (69). Doch Gastmann hält zeitlebens seinen Vorsprung: Er begeht »immer kühnere, wildere, blasphe-

mischere Verbrechen« (69), doch nie ist Bärlach »imstande«, Gastmanns »Taten zu beweisen« (70).
Vierzig Jahre nach Abschluss der Wette sieht die Bilanz so aus, dass sich Gastmann, der »Abenteurer« (65), der skrupellos Verbrechen beging, die weder »geahnt« noch »geahndet« (67) wurden, als Sieger fühlen darf und seinem Gegner rät, »das Spiel aufzugeben« (99), während Bärlach, der »brav« (70) seinen Amtspflichten nachkam und dessen »Biederkeit« (67) nie in Frage stand, als Verlierer gelten muss. Da aber geht der Wettstreit in die letzte Runde: Bärlach, der »noch ein Jahr« (65) zu leben hat, sagt Gastmann ein letztes Mal den Kampf an. »Das ist mein Beruf« (88), begründet er sein Handeln.

Die vorläufige Bilanz

Was den beiden damals in Konstantinopel zunächst als eine in sich abgeschlossene, im Übermut begonnene und dann zu verdrängende Episode vorgekommen sein mag, wurde bestimmend für das ganze Leben.

In der ersten Charakterisierung Bärlachs wird knapp erwähnt, dass er sich »in Konstantinopel [...] als bekannter Kriminalist hervorgetan« (8) habe. Später beruft er sich auf »zehn Jahre in türkischen Diensten« (13), um einige seiner Eigenarten zu rechtfertigen. Von besonderer, symbolträchtiger Bedeutung erweist sich dann die »große, eherne Schlange« (24). Sie kann als Symbol ständiger Bedrohung angesehen werden. »Mit der bin ich einmal fast getötet worden« (25), erklärt Bärlach Tschanz gegenüber – vielleicht, um ihn zu versuchen. Diese Schlange, später genauer als »Schlangenmesser« (92, 94) charakterisiert, die ständig auf Bärlachs Schreibtisch in seiner Wohnung liegt (44), hält Gastmann während der Unterredung über die gemeinsame

Das »Schlangenmesser«-Symbol

Vergangenheit in seiner Rechten und wirft mit dem Messer auf seinen Gegner, nicht um ihn zu töten, sondern, »Bärlachs Wange streifend« (70), um Macht zu zeigen und Gewalt anzudrohen. Später ist es Tschanz, der das »Schlangenmesser« (92) von Bärlachs Schreibtisch nimmt, um »ihn zu töten« (94). »Die tödliche Schlange«, heißt es, »das Messer, das sein Herz suchte« (94), erreicht nicht ihr Ziel. Aber Bärlach weiß, dass es in diesem Kampf um Leben und Tod geht.

Die letzte Phase des Wettstreits

Tatsächlich hat dieser Kampf schon begonnen: Bärlach hatte den kompetenten Polizeileutnant Schmied in der Hoffnung auf Gastmann angesetzt, endlich die nötigen Beweise für begangene Verbrechen zu erhalten. Nun aber ist Schmied tot und die Mappe mit den »dürftigen Beweisen, die Schmied gesammelt hat« (72), nimmt Gastmann mit.

In dem großen Wettstreit zwischen Bärlach und Gastmann ist der Mord an Schmied lediglich eine Episode, durch die die Situation der beiden Gegner verschärft wird: Gastmann, der die Anstrengungen Bärlachs kennt, muss fürchten, für den Mörder Schmieds gehalten zu werden; Bärlach hat in Schmied seine »letzte Hoffnung [...], Gastmann zu stellen« (116), verloren. Noch ist Gastmann einen Schritt voraus; deshalb weiß Bärlach: »ich kann mich jetzt nicht operieren lassen, ich muß mich stellen. Meine letzte Gelegenheit« (65).

Am Ende des vierzigjährigen Wettstreits führt der Fall Schmied die Konkurrenten, Bärlach und Gastmann, noch einmal persönlich zusammen und zwingt sie zu handeln.

Richter und Henker

Als Kommissar Bärlach seine »einzige Chance vernichtet« sieht und trotzdem Gastmann, »den Teufel in Menschengestalt« (116), noch stellen will, nimmt er Tschanz, der ihm als »Stellvertreter in der Mordsache Schmied« (15) beigegeben ist und von dem er früh vermutet hat, dass er »Schmieds Mörder« (112) ist, benutzt ihn als Mittel zur Erreichung seines Zwecks und verwandelt ihn in seine »furchtbarste Waffe« (116). Indem er Tschanz dazu bringt, Gastmann zu erschießen, kommt Bärlach, wie er meint, doch noch an sein lange verfolgtes Ziel. Er wirft sich zum Richter über Gastmann auf und lässt ihn hinrichten. »Dann waren Sie der Richter und ich der Henker« (117), erkennt Tschanz rückblickend. »Es ist so« (117), bestätigt Bärlach.

Tschanz als Waffe Bärlachs

Das Wort Richter ist abgeleitet vom Verb *richten*, das in der Grundbedeutung ›gerade machen‹ und ›in eine gerade oder senkrechte Richtung, Lage, Stellung bringen‹ meint, im übertragenen Sinne auch ›aufrichten‹ und ›errichten‹. Ferner wird *richten* im Sinne von ›recht oder richtig machen, in Ordnung bringen‹ gebraucht. Schließlich bedeutet *richten*: ›Recht sprechen, urteilen; verurteilen‹, zugespitzt ›zum Tode verurteilen, das Todesurteil vollstrecken‹, also ›hinrichten‹.[19] Im modernen Staat ist der Richter ein Staatsbeamter, der im Rahmen einer gesetzlich bestimmten Gerichtsverfassung die richterliche Gewalt unabhängig, allein dem Gesetz unterworfen, ausübt. Bei der Ausführung der Gerichtsurteile steht der richterlichen Gewalt die Exekutivgewalt – etwa in der Gestalt des Gerichtsvollziehers – zur Seite.

Richter, Recht, Gericht

Henker

Das Wort Henker, das wohl nur noch in der Wortzusammensetzung »Henkersmahlzeit« gebräuchlich ist, wurde vom Verb *henken*, d.h. ›hängen machen, (auf)hängen‹ abgeleitet und hatte schon im Mittelalter die Bedeutung ›an den Galgen hängen, (durch den Strang) hinrichten‹. Der Henker oder auch Scharfrichter führt das von einem ordentlichen Gericht gefällte Todesurteil aus. Mit der Abschaffung der Todesstrafe entfiel dieses Amt, das dem Ausführenden nie zur Ehre gereicht hatte.

Bärlachs Richterspruch

Bei der letzten persönlichen Begegnung kündigt Bärlach seinem Widersacher Gastmann an: Er habe den »Henker [...] ausersehen«, der »heute zu dir kommen« wird; denn ihm, Bärlach, stehe es zu, ihn zu »richten«: »Ich habe dich gerichtet, Gastmann, ich habe dich zum Tode verurteilt« (100). Daraufhin »zuckte Gastmann zusammen«, ist »verwundert«, weiß die Botschaft nicht zu deuten und ruft dem in den Bahnhof enteilenden Bärlach hinterher: »Du Narr!« (100). Doch Bärlach gilt zwar als brav und bieder, ist aber nicht der Narr, für den ihn Gastmann hält, sondern eher der »Schachspieler« (114), der seine Züge genau geplant hat, vielleicht »ein gefährlicherer Bursche« (100), als Gastmann angenommen hat, vor dem dieser sich nach dessen Ankündigung tatsächlich »vorsehen« (100) müsste. Da er Bärlach aber in letzter Konsequenz falsch einschätzt, stirbt er durch die Kugel von Tschanz.

Als Bärlach dann zwei Tage später vor der Leiche Gastmanns steht, legt »sein Geist den Weg durch die geheimnisvollen Gänge des Lebens zurück, das beider Leben war« (109). Ihm ist am Schluss gelungen, »den zu vernichten« (109), den er jahrelang verfolgt hat. Dennoch kann er sich nicht als Sieger fühlen. Er ahnt, »daß sich nun das Leben *beider* zu Ende gespielt hatte« (108). Er kann nichts ungeschehen machen; ihm bleibt nichts »als eine demütige Bitte um Vergessen, die einzige Gnade, die ein Herz besänftigen kann, das ein wütendes Feuer verzehrt« (109). Ihm ist noch »keine Ruhe wie dem andern« (109) gegeben. Er wartet auf den »Richter, dessen Urteil das Schweigen ist« – nämlich »die Unermeßlichkeit des Todes« (109). Nur »die Toten haben immer recht« (109). Der »Bitte um Vergessen« entspricht »das Schweigen des Todes« (109). Längst hatte Bärlach eingesehen, dass jene Wette in Konstantinopel verhängnisvoll war. Er erklärt Gastmann gegenüber: »Du bist in jener Nacht in der Türkei schuldig geworden, weil du die Wette geboten hast, Gastmann, und ich, weil ich sie angenommen habe« (99).

Bärlachs Resümee

Nicht mit der Diskussion, wohl aber mit der Wette, erst recht mit dem Experiment, das sie ein Leben lang betreiben, machen sie sich schuldig. Gastmann hat vorsätzlich und in vollem Bewusstsein des Unrechtmäßigen seiner Tat jenen Mord an dem »deutschen Kaufmann« begangen, wurde so zum »Verbrecher« (69), verübte immer »kühnere [...] Verbrechen«, sagte sich los von gesetzlichen und moralischen Verbindlichkeiten, lebte, »aus Übermut das Gute übend, wenn ich Lust dazu hatte, und wieder aus einer anderen Laune heraus das Schlechte liebend« (70). Das Leben ist für ihn »ein abenteuerlicher Spaß« (70); aus der Sicht des Schriftstellers ist er ein »Nihilist«, weil er »das Gute ebenso aus einer Laune, aus einem Einfall tut wie das Schlechte« (82). Gastmann fühlt sich für nichts und niemanden verantwortlich, hat kein

Gastmanns und Bärlachs Schuld

diesseitiges, erst recht kein auf ein Jenseits gerichtetes Lebensziel, missachtet alle Normen und lebt nur »seiner Freiheit: der Freiheit des Nichts« (83). Mit dem Maßstab der menschlichen Gesellschaft, die sich eine Ordnung gegeben hat, gemessen, ist er ein Verbrecher.
Bärlach dagegen setzt sich für die Geltung der rechtlichen Ordnung ein und fühlt sich verpflichtet, Verbrecher zu stellen und dem Gericht zu überantworten. Dass er dabei den Polizeileutnant beauftragt, Gastmann zu beschatten, verträgt sich mit seiner Position als Kommissar. Dagegen überschreitet er eindeutig seine Kompetenz, wenn er sich zum Richter über das Leben Gastmanns macht und wenn er seinen Mitarbeiter in die Rolle des Henkers zwingt. Seit Schmied tot ist, versteht sich Bärlach als »Kater, der gern Mäuse frißt« (21). Ihm geht es nicht mehr darum, durch sorgfältige Recherchen Gastmann als Verbrecher zu überführen und dem Gericht und einer angemessenen Strafe zu überantworten; sein einziges Ziel ist jetzt, seinen Gegner zu vernichten.

Die Schlussphase der Auseinandersetzung zwischen Bärlach und Gastmann gestaltet sich als ein Kampf auf Leben und Tod. Dieser beginnt, als Bärlach vor Gastmanns Haus von jener »Bestie« (33) angefallen wird, die ihn erstarren lässt. Dieses Tier, »ein entfesseltes Ungeheuer an Kraft und Mordlust« (33), reißt ihn nieder. In genau diesem Tier, das im Sinne des Hausherrn abgerichtet zu sein scheint, sieht Bärlach ein Abbild des Bösen: »So hatte ihn das Böse immer wieder in seinen Bann gezogen, das große Rätsel, das zu lösen ihn immer wieder aufs neue verlockte« (33). Die Mittel, die ihm als Kriminalisten laut Recht und Gesetz zustanden, hatten nicht ausgereicht, das Böse zu besiegen und die recht-

Der Kampf mit dem »Bösen«

liche Ordnung wieder herzustellen. Der Angriff des Tieres »schien ihm [...] natürlich und in die Gesetze dieser Welt eingeordnet« (33). Diesem Bösen – so die Folgerung – ist nicht mit Verstand und Vernunft beizukommen, sondern nur mit jenen Mitteln, mit denen »der Jäger [...] das Wild [...] erledigt« (108) oder mit denen der »Kater« (21) Mäuse fängt. Deshalb hat er Tschanz »und Gastmann aufeinander gehetzt wie Tiere« (116), und deshalb triumphiert er wie »ein Tiger, der mit seinem Opfer spielt« (113), als er Tschanz erklärt, wie er ihn in die Falle gelockt und für seine Zwecke benutzt hat. Die letzte Phase der Auseinandersetzung zwischen Bärlach und Gastmann findet im Bildbereich eines Tierkampfes statt.

Der »Jäger« und das »Wild«

Welches Bild setzt sich im Kopf des Lesers zusammen, wenn er ans Ende gekommen ist? Dr. Lutz und Nationalrat von Schwendi, Spitzenvertreter des Staates, halten Gastmann für Schmieds Mörder und glauben, dass Tschanz aus Notwehr, d. h. rechtmäßig auf Gastmann geschossen habe. In beiden Fällen irren sie. Dass Bärlach dem Mörder Schmieds so schnell auf die Spur kommt, verdankt er weitgehend dem »Zufall«, dass er nämlich am Tatort die Revolverkugel findet. Er überstellt Tschanz, den Mörder, nicht, wie es seines Amtes ist, dem Gericht, missbraucht ihn für seinen Kampf gegen Gastmann, macht ihn ein weiteres Mal zum Mörder. Dann überlässt er ihn dem eigenen Gewissen und treibt ihn in den Selbstmord. Gastmann ist tot, doch keines seiner Verbrechen ist geahndet. Bärlach ist sich bewusst, unrechtmäßig gegen Tschanz und Gastmann vorgegangen zu sein; er fühlt sich nicht nur der Wette wegen schuldig,

Die Kompetenzüberschreitung Bärlachs

sondern auch dadurch, »daß ich *einen* richtete« (117). Doch er stellt sich weder polizeilichen noch richterlichen Untersuchungen, sondern zieht sich – »todkrank« (118) – ins Krankenhaus zurück.
Auch am Ende der Geschichte ist die Welt nicht geordnet. Als Bärlach am Ende des langen Gesprächs mit Gastmann schmerzverzerrt, von Gastmann bedroht, gedemütigt und an die gemeinsame Schuld erinnert, zurückbleibt, stöhnt er: »Was ist der Mensch?« (72). Eine Antwort, die von einem personalen Erzähler nicht erwartet werden kann, fiele sehr ernüchternd aus.

7. Autor und Zeit

Friedrich Dürrenmatt wurde am 5. Januar 1921 in dem Schweizer Dorf Konolfingen unweit der Hauptstadt Bern geboren. Sein Vater war protestantischer Pfarrer, sein Großvater, Ulrich Dürrenmatt, war Lokalpolitiker, Zeitungsherausgeber und Satiriker.

Kindheit und Jugend

Als Sohn eines Pfarrers stand das Kind im Blickpunkt des Dorfes. Die Erwachsenen erwarteten extrem gutes Benehmen, die Dorfjugend mied ihn: »So wurde er zur Einzelgängerei gezwungen, hatte Zeit, seinen eigenen Gedanken und Träumen nachzugehen.«[20]

Mit vierzehn Jahren, als der Vater Seelsorger in Bern wurde und die Familie in die Hauptstadt zog, kam Dürrenmatt auf das Freie Gymnasium in Bern, scheiterte dort, wechselte auf das Humboldtianum, bestand mit äußerster Anstrengung das Abitur und sollte sich für einen Beruf entscheiden.

Berufswahl

Dem Vater wäre es lieb gewesen, wenn der Sohn Theologie studiert hätte; doch dieser war längst allem Kirchlichen entfremdet. Er wäre gern Maler geworden, zeigte auch Talent. Doch von der Mutter herbeigerufene Sachverständige rieten ab.

Dürrenmatt begann 1941 das Studium der Philosophie und Naturwissenschaften in Zürich, belegte insgesamt zehn Semester Vorlesungen und Übungen, plante eine Dissertation »Kierkegaard und das Tragische«, gab dann aber auf und entschloss sich, Schriftsteller zu werden.

Studienzeit

Während des Studiums hatte sich Dürrenmatt mehr in Cafés und Kneipen als im Hörsaal aufgehalten, hatte mehr im Atelier des

Malers Jonas philosophiert als im philosophischen Seminar und erste eigene fiktionale Texte statt germanistischer Facharbeiten verfasst. Zwischenzeitlich hatte er sich dem Militärdienst stellen müssen, den er wegen Kurzsichtigkeit als Hilfsdienst absolvierte. In Zürich war er an einer infektiösen Hepatitis erkrankt, aus der sich seine spätere Diabetes entwickelte.

Zwar wird eine erste Erzählung von ihm veröffentlicht, und er hat ein Stück begonnen, das später – am 19. April 1947 – uraufgeführt wird, doch sind die Aussichten vage.

Heirat

Im Sommer 1946 hatte er in Bern die Schauspielerin Lotti Geißler kennen gelernt, die gerade einen Film drehte, am Radio Bern Hörspielrollen sprach, ein Engagement am Baseler Stadttheater hatte. Am 11. Oktober 1946 heiraten Lotti Geißler und Friedrich Dürrenmatt. Das junge Ehepaar zieht nach Basel. Als Lotti Dürrenmatt schwanger wird, weiß sie, dass sie nicht mehr lange auf der Bühne stehen kann; und ihr Mann weiß, dass die Existenz der Familie von seinen Einkünften als Schriftsteller abhängt.

Erste Auszeichnungen

Als Dürrenmatt am 1. Juli 1947 auf Antrag der Schweizerischen Schillerstiftung den Preis der Welti-Stiftung für das Drama *Es steht geschrieben* zugesprochen bekommt, ist er »auf seinem Weg nach oben ein kleines Stückchen weiter gekommen«[21]; doch die finanziellen Sorgen bleiben. Dürrenmatt schreibt Theaterkritiken, verfasst Hörspiele, bringt ein weiteres Stück – *Der Blinde* – auf die Bühne, aber: »Die Tantiemen fließen kaum.«[22]

Umzüge

Familie Dürrenmatt zieht von Basel weg nach Schernelz am Bieler See, wo Dürrenmatts Schwiegermutter wohnt, und haust nun eini-

Friedrich Dürrenmatt
Foto: Fritz Eschen

ge Zeit »in einer niedrigen Bauernstube, grün gestrichen, mit einer Schildkröte, die sich zwischen den Büchergestellen und der Wand hin und her zwängte«[23].

Finanznot

1948 zieht Familie Dürrenmatt nach Ligerz um, er schreibt an mehreren Stücken, macht weiter Schulden. Als dann die erneut schwangere Lotti ins Krankenhaus muss, als auch Friedrich mit einem plötzlichen Zuckerschock eingeliefert wird, »drohen die Hospitalkosten das Wenige, was man hat, aufzufressen«[24]. In dieser Situation nimmt Dürrenmatt Kontakt mit Zeitungsredaktionen auf, verspricht, einen Fortsetzungsroman zu liefern, und schreibt *Der Richter und sein Henker*.

Der endgültige Wohnsitz

Die Lage entspannt sich. Dürrenmatt erhält den Auftrag für weitere Kriminalromane. In Deutschland wird sein Stück *Romulus der Große* aufgeführt. Tochter Ruth wird geboren, und die Familie kann an ein eigenes Haus denken. »Am 1. März 1952 zog Dürrenmatt mit Frau, drei Kindern, einem Dienstmädchen und einer Katze von Ligerz in das Haus Pertuis du Sault 34 oberhalb Neuchâtel.«[25] In den folgenden Jahren wird um-, an- und hinzugebaut. Neuchâtel bleibt Wohnsitz bis ans Lebensende.

Dürrenmatt verlässt Neuchâtel in der Zukunft nur noch zu Berufsreisen – als Regisseur, als Dramaturg, als Kritiker, als Empfänger von Literaturpreisen, als Laudator, als Redner. Er kann nur in seinem Arbeitszimmer schreiben und zeichnen und bleibt gleichwohl aufmerksamer und kritischer Beobachter des Weltgeschehens. Aktualität ist das oberste Prinzip seiner Stücke, auch wenn er Stoffe aus der Historie bearbeitet oder wenn er Bühnenhandlungen bis zur Groteske überspitzt.

Seit dem Welterfolg der »Tragischen Komödie *Der Besuch der alten Dame*« steht Dürrenmatt gleichrangig, aber mit einem unterschiedlichen Konzept neben Bertolt Brecht, der die Blicke der Theaterwelt auf das »Theater am Schiffbauerdamm« in Berlin zieht. *Der Besuch der alten Dame* wird am 29. Januar 1956 in Zürich uraufgeführt, im gleichen Jahr in Basel inszeniert, erobert dann die Bühnen in Paris (1957), New York (1958), Mailand (1960), wird 1964 mit Ingrid Bergmann und Anthony Quinn verfilmt und erfährt 1971 in Wien die Uraufführung als Oper, komponiert von Gottfried von Einem. Ähnlich erfolgreich ist die »Komödie in zwei Akten: *Die Physiker*«. Ort der Uraufführung ist wieder Zürich (21. Februar 1962). Auch dieses Stück geht um die Welt.

Welterfolge

Dürrenmatt wird mit nationalen und internationalen Literaturpreisen ausgezeichnet. Allein der Literatur-Nobelpreis bleibt ihm versagt. Er wird zum Ehrendoktor mehrerer Universitäten promoviert. Zum 60. Geburtstag erscheint im Diogenes Verlag eine Gesamtausgabe seiner Werke in 30 Bänden. Gleichzeitig sind seine Zeichnungen und Bilder in mehreren Ausstellungen zu sehen.

In eine tiefe Krise fällt Dürrenmatt, als seine Frau Lotti am 16. Januar 1983 in Neuchâtel nach 37 Jahren gemeinsamer Ehe stirbt. Sie hatte ihm und der Familie zuliebe ihre Schauspielkarriere aufgegeben, war Ehefrau, Mutter, Lektorin und »stets das Korrektiv erster Entwürfe« gewesen. Freunde stehen dem Zurückgebliebenen bei, ziehen ihn ins öffentliche Leben, laden ihn zu Reisen ins Ausland ein, planen, einen Film über ihn zu drehen: »Porträt eines Planeten«. Charlotte Kerr, von Haus aus Schauspielerin,

Tod der Ehefrau

jetzt Filmemacherin, ist die Initiatorin dieses Unternehmens. Im März 1984 macht Dürrenmatt ihr einen Heiratsantrag. Unter der Bedingung, zuerst der Film, dann die Hochzeit, willigt sie ein. Sie heiraten am 8. Mai 1984. Noch sechs von Arbeiten, Reisen und politischen Stellungnahmen ausgefüllte Jahre bleiben dem Paar. Am 13. Dezember 1990 stirbt Friedrich Dürrenmatt 69-jährig in Neuchâtel.

Hauptwerke

1947 **Es steht geschrieben.**
1948 **Der Blinde.**

1948 **Romulus der Große. Eine ungeschichtliche historische Komödie.** 1947/48 (entstanden); Uraufführung: 1949; Neufassungen 1957 und 1980.

An einem Märztag des Jahres 476 n. Chr. treffen am Hof des Kaisers Romulus Meldungen vom wirtschaftlichen und politischen Zusammenbruch des Reiches, von der Niederlage des römischen Heeres und dem drohenden Ansturm der Germanen ein. Doch der Kaiser scheint sich einzig für die Erfolge seiner Hühnerzucht zu interessieren. Davon kann ihn weder seine Gattin Julia noch der aus Konstantinopel geflohene Kaiser Zeno abbringen. Romulus bleibt auch auf seinem Landsitz, als seine Familie, der Hofstaat und Kaiser Zeno fliehen. Er – und das ist seit langem sein geheimer Plan – erwartet nämlich den Germanenfürsten Odoaker, um ihm das Reich zu übergeben; er hat, wie er erklärt, »wissentlich das Vaterland zu Grunde gerichtet«, weil Rom die im Laufe der Jahrhunderte angewachsene

Schuld nie abgetragen hat und weil »seine Verbrechen […] nicht getilgt«[26] sind. Nur widerwillig lässt sich Odoaker zum König von Italien ausrufen. Er fürchtet, dass Theoderich, sein Neffe, von neuem die Weltherrschaft anstrebt und dadurch schuldig wird.

1950 **Der Richter und sein Henker. Kriminalroman.**
1957 als Fernsehspiel in der ARD.
1978 als Spielfilm. Drehbuch mit Maximilian Schell und Bo Goldmann.

1951 **Der Verdacht. Kriminalroman.** Neue Fassungen 1957, 1964, 1970, 1980.
Kommissar Bärlach hat die Operation, die am Ende des Romans *Der Richter und sein Henker* angekündigt war, gut überstanden, blättert jetzt – in den letzten Tagen des Jahres 1948 – in alten Zeitschriften und stößt in einer Ausgabe von *Life* aus dem Jahr 1945 auf ein Bild des berüchtigten Arztes Dr. Nehle aus dem KZ Stutthoff. Der Verdacht kommt auf, dass dieser Nehle identisch mit dem Modearzt Emmenberger ist, der ein Schweizer Luxussanatorium leitet. Bärlach lässt sich von seinem Hausarzt Hungertobel in diese Klinik überweisen und findet seinen Verdacht bestätigt. Emmenberger merkt, dass er durchschaut ist, legt Bärlach in einem langen nächtlichen Gespräch seine nihilistische Weltanschauung dar und kündigt ihm an, er werde ihn operieren wie einst die KZ-Häftlinge, nämlich ohne Narkose. Dazu kommt es nicht, weil ein ehemaliger KZ-Häftling, der von Nehle/Emmenberger gequält wurde, Bärlach zu Hilfe kommt. Er hat auch dafür gesorgt, dass der Arzt »gerecht nach dem Gesetz Mosis« bestraft wurde: »Meine Hand führte die seine, von meinen Armen umschlungen, preßte er

sich die tödliche Kapsel zwischen die Zähne«[27]. Die Polizei wird auf Selbstmord schließen.

1951 Der Prozeß um des Esels Schatten. Hörspiel.
1952 Die Ehe des Herrn Mississippi.
1953 Ein Engel kommt nach Babylon.
Herkules und der Stall des Augias. Hörspiel.
Das Unternehmen der Wega. Hörspiel.
1955 Theaterprobleme. Vortrag.

1956 Der Besuch der alten Dame. Eine tragische Komödie.

Claire Zachanassian kommt nach 45 Jahren in die inzwischen völlig verarmte Kleinstadt Güllen »irgendwo in Mitteleuropa«. Sie hatte damals, als Mutter eines unehelichen Kindes gebrandmarkt, Güllen verlassen, ihren Namen Kläri Wäscher abgelegt und sich kümmerlich durchgeschlagen, bis ein Ölmagnat sie aus einem Bordell holte und zur dreifachen Milliardärin machte. Claire Zachanassian ist bereit, Güllen eine Milliarde zu schenken, wenn dafür Alfred Ill, ihr Jugendgeliebter, der einst seine Vaterschaft mit Hilfe bestochener Zeugen bestritt, in gerechter Weise, d. h. mit dem Tode bestraft werde. Dieser Handel wird zunächst zurückgewiesen. Dann wird überlegt, wie man an das Geld kommen könne, ohne offensichtliches Unrecht zu begehen. Ill stirbt schließlich angeblich an einem »Herzschlag«, nähere Erklärung: »Tod aus Freude«[28], ist in Wirklichkeit aber ermordet worden. Die Stadt erhält Claires Scheck; Wohlstand scheint gesichert; Claire reist ab. Ill, so schreibt Dürrenmatt in einer Anmerkung, erfährt an sich selbst »die Gerechtigkeit, weil er seine Schuld erkennt [...]. Sein Tod ist sinnvoll und sinnlos zugleich.«[29]

1956 Die Panne. Hörspiel.
Abendstunde im Spätherbst. Hörspiel.

1958 Das Versprechen. Requiem auf den Kriminalroman.
Es geschah am hellichten Tag. Film nach dem Roman *Das Versprechen*. Regie: Ladislav Vajda.

Dürrenmatt hatte auf Bestellung das Drehbuch zu dem Film *Es geschah am hellichten Tag* geschrieben, dessen Thema die Aufklärung eines Sexualverbrechens war. Die Tat sollte Empörung auslösen, die Aufklärung sollte das Vertrauen in Polizei und Justiz stärken. »Nach Fertigstellung des Drehbuchs«, schreibt Dürrenmatt im Nachwort des Romans *Das Versprechen*, »machte ich mich noch einmal an die Arbeit. Ich griff die Fabel aufs neue auf und dachte sie weiter, jenseits des Pädagogischen.«[30]

Der ehemalige Kommandant der Kantonspolizei Zürich Dr. H. stellt einen Kriminalromanschriftsteller nach einem Vortrag zur Rede und kritisiert die Tendenz, dass in den Romanen die kompliziertesten Fälle von logisch denkenden Detektiven gelöst würden, während die Wirklichkeit anders aussehe. Zum Beweis erzählt er die Geschichte des Falls »Gritli Moser«. Dieses Mädchen war im Wald, mit einem Rasiermesser getötet, aufgefunden worden. Ein Hausierer wurde von den Dorfbewohnern verdächtigt. Viele Indizien sprachen dafür, dass er der Mörder sei. Er bestritt das lange, bis er im Kreuzverhör zusammenbrach, die Tat zugab und sich in der Zelle erhängte. Einzig Kommissar Matthäi, der der Mutter des Opfers das Versprechen gegeben hat, den Mörder zu finden, ist von der Unschuld des Hausierers überzeugt und setzt seine Karriere und seinen Lebensplan aufs Spiel, um den wahren Mörder zu finden. Vergeblich.

Jahre später erfährt der Kommandant von einer kranken, auf den Tod wartenden Mutter, dass ihr geistesgestörter Sohn mehrere Morde begangen hat, dann bei einem Verkehrsunfall ums Leben kam, als er einem weiteren Mädchen nachstellte.

1959 Frank V.

1962 Die Physiker. Komödie. Neufassung 1980.
In dem Luxussanatorium »Les Ceresiers« leben drei Verrückte, von denen sich der eine für Newton, der Zweite für Einstein und der Dritte, Möbius, für einen vom Geist des Königs Salomon Erfüllten hält. Die Kriminalpolizei ist im Haus, weil Newton vor Wochen und Einstein eben jetzt eine Krankenschwester umgebracht hat. Als auch Möbius Schwester Monika umbringt, wird deutlich, dass alle drei Insassen Simulanten sind, die diese Morde begehen, um den Status des Verrücktseins zu erhalten und zu beweisen.

Tatsächlich ist Möbius ein bedeutender Wissenschaftler, an dessen Ergebnissen die Weltmächte Interesse haben. Deshalb haben westliche und östliche Regierungen »Einstein« und »Newton« als Geheimagenten in die Anstalt geschleust, wohin sich Möbius zurückgezogen hatte. Der Wissenschaftler möchte verhindern, dass seine Forschungsergebnisse, von der Technik umgesetzt, Verderben über die Menschheit bringen. Doch die Geheimhaltung ist längst durchbrochen: Die Anstaltsärztin, Frau Dr. Mathilde von Zahnd, hat Kopien von den Möbius'schen Aufzeichnungen anfertigen lassen. Dies treibt die drei Physiker tatsächlich in den Wahnsinn.

1966 Der Meteor.
1967 Die Wiedertäufer.
1969 Play Strindberg.
1970 Porträt eines Planeten.
1973 Der Mitmacher.
1979 Albert Einstein. Vortrag.
1983 Achterloo. Komödie.
1985 Minotaurus. Eine Ballade.

1985 Justiz. Roman.
Der Roman, der 1957 begonnen wurde, lange liegen blieb und erst 1985 zu einem immer noch fragmentarischen Schluss geführt wurde, behandelt die Frage nach dem Wesen des Verbrechens und der Gerechtigkeit als Kriminalsatire. Ein unmöglich möglicher Fall wird konstruiert und amüsant erzählt.

Der Altkantonsrat Dr. h.c. Isaak Kohler erschießt zur Mittagszeit in einem Restaurant den Germanistik-Professor Adolf Winter, verlässt das Gebäude unbehelligt, stellt sich später der Polizei, wird verurteilt, kommt ins Zuchthaus und fühlt sich dort wohl. Er engagiert einen Rechtsanwalt, der seinen Fall unter der hypothetischen Annahme verfolgen soll, er, Kohler, sei gar nicht der wahre Mörder. Der Auftrag, der zunächst widersinnig erscheint, fördert zu Tage, dass Kohler kein Tatmotiv hatte, eine Tatwaffe nie gefunden wurde, dass die Tat insgesamt unwahrscheinlich war, während der Schweizer Meisterschütze Benno durch sein Verhältnis mit Winters Tochter ein Motiv gehabt hatte. Als Benno Selbstmord begeht, hält man das für ein Schuldeingeständnis, und Kohler wird aus der Haft entlassen. Dass hinter Daphne, der Tochter Winters, Monika Steiermann, eine reiche Firmenbesitzerin, die Hände im Spiel hat und dass

Kohler der Vermögensverwalter von Frau Steiermann ist und deshalb ein Interesse hat, Daphne, Benno und Monika Steiermann auszuschalten, ahnt die Justiz nicht. Kohler, der Billardspieler, hat die Kugel angestoßen, als er – in den Augen der Justiz: unsinnigerweise – Winter erschoss; alles andere ergab sich von selbst. Nur wer Billard à la bande spielen kann, durchschaut eine so komplizierte Folge von Ursache und Wirkung. Die Justiz – so der Erzähler – ist damit überfordert.

8. Rezeption

Friedrich Dürrenmatts Weltruhm beruht zweifellos auf den Texten, die er für die Bühne schrieb, und auf den Schriften, die er über die Möglichkeiten des Theaters in der modernen Welt verfasste; aber, so heißt es in einer Abhandlung über den Autor: »Dürrenmatts Prosawerke haben denselben Weltruhm erlangt wie seine Dramen.«[31]

Der Roman *Der Richter und sein Henker*, der um des dringend notwendigen Honorars geschrieben und dann zunächst in einer Zeitschrift 1950/51 veröffentlicht wurde und 1952 in einem angesehenen Schweizer Verlag als Buch erschien, wurde ein Welterfolg. Im Schweizer Diogenes Verlag sind bis zum Jahr 2005 acht Ausgaben des Romans in 48 Auflagen gedruckt worden. Im deutschen Rowohlt Verlag wurde 2005 die 109. Auflage der Taschenbuch-Ausgabe ausgeliefert. Kein anderes Werk dürfte dem Autor einen größeren kommerziellen Erfolg eingebracht haben als dieser Kriminalroman.

Welterfolg

Dass Kriminalromane auf dem literarischen Markt größte Erfolgsaussichten haben, wusste Dürrenmatt und er wurde darin bestätigt. Dagegen dürfte er kaum vorausgesehen haben, dass sein Roman Aufnahme in die Lehrpläne der Schulen finden würde. Als Dürrenmatts Roman 1955 als Taschenbuch erschien, galten Kriminalromane grundsätzlich als trivial, als intellektuell minderwertig und deshalb als ungeeignet für qualifizierten Literaturunterricht.

Im Kanon des Literaturunterrichts

Erst die Erweiterung des Literaturbegriffs und die genauere Auseinandersetzung mit den Romanen Dürrenmatts brachten eine Wende. Es wurde erkannt, dass *Der Richter und sein Henker* zwar dem Schema des Detektivromans folgt, dieses aber auch durchbricht, dass er zwar ein Verbrechen in den Mittelpunkt stellt, aber weit davon entfernt ist, den Verbrecher als den absolut Bösen und die Verfolger als die absolut Guten zu schildern. Der Autor und Erzähler lässt den Leser nicht nur teilnehmen an der Aufdeckung von Verbrechen und ihrer Vorgeschichte, sondern zwingt ihn zur Reflexion über Grundbegriffe der menschlichen Ordnung wie Recht, Gerechtigkeit, Strafe, Sühne, Gericht und Richter.

Bezug zum Gesamtwerk

Längst ist erkannt, dass Dürrenmatts früher Kriminalroman Themen anspricht, die später in den großen Dramen wie *Der Besuch der alten Dame* und *Die Physiker* entfaltet wurden und die auch in der frühen Komödie *Romulus der Große* erörtert werden. Daraus darf der Schluss gezogen werden, dass der Kriminalroman *Der Richter und sein Henker* kein Zufallsprodukt einer Notlage ist, sondern eine zentrale Stelle im Gesamtwerk des Autors einnimmt. Nur so ist auch zu erklären, dass der Roman in 24 Sprachen übersetzt wurde – unter anderem ins Chinesische, Japanische, Russische und Türkische.

Verfilmungen

Eine erste filmische Bearbeitung erfuhr der Roman durch das Fernsehen. Die Ausstrahlung am 7. September 1957 wurde von der Presse insofern als Sensation gefeiert, als dies »der erste abendfüllende Spielfilm überhaupt [war], den das Fernse-
en selbst produziert«[32] hatte.

ißig Jahre später entstand unter der Regie von Maxi-

9. Checkliste

1. Geben Sie eine Wort- und eine Sacherklärung der beiden Begriffe Kriminalroman und Detektivroman.
   - Was ist den beiden Romanarten gemeinsam?
   - Wie unterscheiden sie sich?
   - Erzählen Sie in Kurzform den »Fall Schmied« und den »Fall Tschanz« einmal als Kriminal- und einmal als Detektivroman.

2. Charakterisieren Sie Aufbau und Erzählweise des Romans *Der Richter und sein Henker.*
   Was ist ein analytischer Roman?
   - Welche Anforderungen stellt der analytische Roman an den Leser?
   - Worin besteht sein Reiz für Erzähler und Leser?
   - Welche einzelnen Fälle werden in *Der Richter und sein Henker* analysiert?

   Erklären Sie den Unterschied zwischen einem auktorialen und einem personalen Erzähler.
   - Charakterisieren Sie den Erzähler des Romans *Der Richter und sein Henker.*
   - Erörtern Sie, ob die Selbstdarstellung des Schriftstellers auf die Charakterisierung des Erzählers angewendet werden kann.

3. Wie erklären Sie, dass Kriminalromane ein großes Lesepublikum haben, von der Literaturkritik aber meist niedrig eingeschätzt werden?
   - Welche Maßstäbe legen Literaturkritiker an?

- Wie erklären Sie sich, dass Literaturkritiker Vorurteile gegen Werke haben, die sich als »Brotarbeit« zu erkennen geben?
- Was ist mit dem Werturteil »trivial« gemeint?

4. Orientieren Sie sich über die Schauplätze und über die Handlungszeit der erzählten Geschichte.
   - Nennen Sie wichtige Handlungsorte und suchen Sie sie auf einer Schweizer Landkarte.
   - Legen Sie eine Zeitleiste an und tragen Sie die aus dem Text zu ermittelnden Zeitangaben der Vorgeschichte und der Detektivgeschichte ein.

5. Stellen Sie kurz die Hauptpersonen des Romans vor und unterscheiden Sie diese nach Aufklärern, Tätern und Opfern.
   - Ordnen Sie die Aufklärer nach Rang und nach Kompetenz.
   - Beschreiben Sie die den Fällen zugrunde liegenden Verbrechen und charakterisieren Sie die Täter und Opfer.

6. Geben Sie den Inhalt der Wette wieder, die Bärlach und Gastmann geschlossen haben.
   - Nennen Sie die Hauptthesen der Kontrahenten.
   - Beschreiben Sie jeweils die Argumentationsversuche.
   - Welche Konsequenzen hat die Wette für die beiden Gegenspieler?
   - Wie gehen sie vor, um die Wette zu gewinnen?
   - Wie wird die Wette entschieden?
     Wer gewinnt nach Ihrer Ansicht?

Wer verliert nach Ihrer Ansicht?
Begründen Sie Ihre Thesen.

7. Erklären Sie – mit Hilfe von einschlägigen Lexika –, was unter Recht, Gesetz und Gerechtigkeit zu verstehen ist.
   - In welcher Beziehung stehen Recht und Gesetz?
   - In welcher Beziehung stehen Recht und Gerechtigkeit?
   - Inwiefern verletzen Verbrechen Recht und Gesetz?
   - Welche Bedeutung haben Recht und Gesetz für die menschliche Gemeinschaft?
   - Was verstehen Sie unter dem »Bösen«, von dem Bärlach spricht?
   - Wie erkennt man das »Gute« und das »Schlechte«, von dem der Schriftsteller spricht?
   - Welche Funktion haben Gericht und Richter in einem geordneten Gemeinwesen?

8. Setzen Sie die Person des Schriftstellers aus *Der Richter und sein Henker* in Bezug zur Kurzbiographie des Autors.
   - Vergleichen Sie die Lebensverhältnisse.
   - Vergleichen Sie Interessen, Arbeitsweise und die Auffassung von der Rolle eines Schriftstellers.

9. Projekt Friedrich Dürrenmatt
   - Bilden Sie Gruppen, die jeweils einen weiteren Roman des Autors selbstständig erarbeiten.
   - Lassen Sie eine Projektgruppe prüfen, ob es möglich ist, das Drama *Romulus der Große* für eine Schülerinszenierung einzurichten.

10. Lektüretipps/Filmempfehlungen

Textausgaben

Die Gesamtausgabe:

Friedrich Dürrenmatt: Werkausgabe in dreißig Bänden. Hrsg. von Daniel Keel. Zürich: Diogenes, 1980.

Die Taschenbuchausgabe, nach der im Lektüreschlüssel zitiert wird:

Friedrich Dürrenmatt: Der Richter und sein Henker. Hamburg: Rowohlt, 1955 [u. ö.] (Rowohlt Taschenbuch. 10150.)

Sekundärliteratur

Über Leben und Werk des Autors informieren:

Arnold, Armin: Friedrich Dürrenmatt. Berlin 1986. (Köpfe des 20. Jahrhunderts. 57.)

Arnold, Heinz L.: Friedrich Dürrenmatt. text + kritik. Heft 50/51. Göttingen 1980.

Brock-Sulzer, Elisabeth: Friedrich Dürrenmatt. Stationen seines Werkes. Zürich 1986. (Diogenes Taschenbuch. 21388.)

Goertz, Heinrich: Friedrich Dürrenmatt in Selbstzeugnissen und Bilddokumenten. Reinbek bei Hamburg 1987. (Rowohlts Monographien. 380.)

Große, Wilhelm: Friedrich Dürrenmatt. Literaturwissen für Schüler. Stuttgart 1998. (Reclams UB. 15214.)

Knapp, Gerhard P.: Friedrich Dürrenmatt. Stuttgart/Weimar 1993. (Sammlung Metzler. 196.)

Spycher, Peter: Friedrich Dürrenmatt. Das erzählerische Werk. Frauenfeld 1982.

Tantow, Lutz: Friedrich Dürrenmatt. Moralist und Komödiant. München: Heyne 1992. (Heyne Biographien.)

Interpretationen zu *Der Richter und sein Henker*

Eisenberg, Manfred: Friedrich Dürrenmatt: *Der Richter und sein Henker.* Stuttgart/Düsseldorf/Leipzig 2001.

Kästler, Reinhard: Friedrich Dürrenmatt: *Der Richter und sein Henker* und *Der Verdacht.* Hollfeld: Bange 1993. (Königs Erläuterungen und Materialien. 42/42 a.)

Pasche, Wolfgang: Interpretationshilfen: Friedrich Dürrenmatts Kriminalromane *Der Richter und sein Henker. Die Panne. Das Versprechen.* Stuttgart/München/Düsseldorf/Leipzig 1997.

Poppe, Reiner: Friedrich Dürrenmatt: *Der Richter und sein Henker.* Hollfeld 1989. (Analysen und Reflexionen. 64.)

Seifert, Walter: Friedrich Dürrenmatt: *Der Richter und sein Henker.* 5., überarb. und erg. Aufl. München 1988. (Oldenbourg Interpretationen.)

Filmempfehlung

Der Richter und sein Henker. Regie: Maximilian Schell. 1975. (Kommissar Bärlach: Martin Ritt; Gastmann: Robert Shaw.)

Zur Gattung *Kriminalroman*

Mandel, Ernst: Ein schöner Mord. Sozialgeschichte des Kriminalromans. Frankfurt a. M. 1987.
Marsch, Edgar: Die Kriminalerzählung. Theorie, Geschichte, Analyse. 2., veränd. Aufl. München 1983.
Nusser, Peter: Der Kriminalroman. 2., überarb. und erw. Aufl. Stuttgart 1992. (Sammlung Metzler. 191.)

Anmerkungen

1 Heinrich Goertz, *Friedrich Dürrenmatt*, Reinbek bei Hamburg, 1987, S. 33.
2 Elisabeth Brock-Sulzer, *Friedrich Dürrenmatt*, Zürich, 3. erg. Aufl. 1970, S. 232.
3 Volker Ott, »Der Kriminalroman«, in: *Formen der Literatur in Einzeldarstellungen*, hrsg. von Otto Knörrich, Stuttgart 1981, S. 217.
4 Wolfgang Pasche, *Interpretationshilfen: Friedrich Dürrenmatts Kriminalromane*, Stuttgart/München/Düsseldorf/Leipzig 1997, S. 11.
5 Edgar Marsch, *Die Kriminalerzählung*, München 1983, S. 17.
6 Ott (Anm. 3), S. 218.
7 Ebenda, S. 219.
8 Richard Alewyn, nach: Ott (Anm. 3), S. 219.
9 Ernest Mandel, *Ein schöner Mord*, Frankfurt a. M. 1987, S. 11.
10 Johannes Hoffmeister, *Wörterbuch der philosophischen Begriffe*, Hamburg 1955, S. 640.
11 Ebenda.
12 Brock-Sulzer, (Anm. 2), S. 235.
13 Franz K. Stanzel, *Typische Formen des Romans*, Göttingen 1987, S. 40.
14 Ebenda.
15 Ebenda, S. 50.
16 *Schüler Duden: Die Literatur*, hrsg. von Gerhard Kwiatkowski, Mannheim/Wien/Zürich 1989, S. 24.
17 Ebenda.
18 Alewyn, nach: Stanzel (Anm. 13), S. 36.
19 *Der Große Duden*, Bd. 7: *Etymologie*, Mannheim/Wien/Zürich 1963, S. 569.
20 Goertz (Anm. 1), S. 15.
21 Lutz Tantow, *Friedrich Dürrenmatt. Moralist und Komödiant*, München 1992, S. 103.
22 Ebenda, S. 105.
23 Dürrenmatt, nach: Tantow (Anm. 21), S. 107.
24 Tantow (Anm. 21), S. 110.
25 Goertz (Anm. 1), S. 47.

26 Ebenda, S. 66.
27 Friedrich Dürrenmatt, *Der Verdacht*, Reinbek bei Hamburg 1964 (Rowohlt Taschenbuch, 448), S. 152.
28 Friedrich Dürrenmatt, *Der Besuch der alten Dame*, in: *Komödien I*, Zürich 1963, S. 346.
29 Ebenda, S. 351.
30 Friedrich Dürrenmatt, *Das Versprechen,* Zürich 1958, S. 244.
31 Goertz (Anm. 1), S. 33.
32 Pasche, (Anm. 4), S. 55.
33 Friedrich Dürrenmatt, *Theaterprobleme*, *Vortrag*, Zürich 1955, S. 43 f.

Raum für Notizen